L'HIVER DANS LE SANG

James Welch

L'HIVER DANS LE SANG

ROMAN

Traduit de l'américain par Michel Lederer

Albin Michel

« Terre indienne »
Collection dirigée par Francis Geffaard

Édition originale américaine
WINTER IN THE BLOOD

Traduction française

22, rue Huyghens 75014 Paris

ISBN 2-226-05857-5

À ma mère et à mon père

Les ossements ne devraient jamais raconter d'histoires
à celui qui ne comprend pas. Je chevauche,
plein de romantisme devant ces mots,
ces affirmations ridicules selon lesquelles
il était meilleur que la terre, ou la pluie
qui blanchissait sa cabane
comme des ossements. Éparpillé dans le vent
Earthboy me réveille de mon rêve :
c'est dans la terre que doivent finir les rêves.

Note du traducteur

Bien que les noms américains des personnages indiens soient eux-mêmes des traductions, nous avons tenu à les conserver, d'autant plus qu'ils sont devenus aujourd'hui des noms patronymiques.

Voici cependant une traduction littérale des principaux d'entre eux :

Earthboy : Garçon de la terre
First Raise : Premier-né
Lame Bull : Taureau boiteux
Long Knive : Long couteau
Standing Bear : Ours debout
Yellow Calf : Veau jaune
Fish : Poisson

La tribu des Blackfeet : la traduction serait : Pieds-Noirs.

La tribu des Gros-Ventres : le nom est d'origine française.

Quant aux Longs Couteaux, il s'agit du nom donné par les Indiens aux soldats de la cavalerie américaine.

PREMIÈRE PARTIE

1

Je pissai dans les hautes herbes du fossé et je regardai la jument alezane accompagnée de son poulain s'avancer dans la prairie roussie vers l'ombre de la cabane en rondins. On l'appelait la cabane des Earthboy, bien que personne de ce nom (ni d'aucun autre) ne l'habitât plus depuis vingt ans. Le toit s'était affaissé, la terre entre les rondins détachée en mottes, et il ne restait plus qu'un squelette nu et gris, demeure des souris et des insectes. Des chardons, raides comme des ossements, s'agitaient sous le vent chaud et venaient balayer le mur ouest. Sur la colline, juste derrière, un rectangle de barbelés délimitait les tombes de tous les Earthboy à l'exception de celle d'une fille qui avait épousé un homme de Lodgepole. Nul ne savait ce qu'elle était devenue, et les Earthboy n'existaient plus.

La clôture bourdonnait dans le soleil cependant que je remontais sur la route. J'avais l'œil droit tuméfié, mais je ne me souvenais plus comment ni pourquoi c'était arrivé ; je me souvenais seulement de l'homme blanc qui insultait sa femme et payait à boire, et de sa langue en furie qui faisait comme une flamme au milieu de la musique et devant mon regard. La femme était sauvage. Elle venait de la réserve de Rocky Boy. Il était blanc. Il râlait contre son argent à lui, ses seins à elle, mes cheveux à moi.

Rentrer à la maison, ce n'était plus très facile. Ça n'avait jamais été une partie de plaisir, mais c'était devenu un véritable calvaire. Ma gorge me faisait mal, mon genou abîmé me faisait mal et ma tête me faisait mal dans la fournaise.

La jument et son poulain avaient disparu derrière la cabane. Au-delà du cimetière et des pâturages des collines, se dressaient les Petites Rocheuses, noires et cotonneuses dans la brume de chaleur.

Rentrer chez ma mère et une vieille qui était ma grand-mère. Et la fille qu'on prenait pour ma femme. Mais elle ne comptait pas vraiment. D'ailleurs, aucune d'elles ne comptait ; elles n'étaient plus rien pour moi. Sans raison spéciale. Je n'éprouvais ni haine, ni amour, ni remords, ni mauvaise conscience, rien qu'une distance qui s'accroissait au fil des ans.

C'était peut-être le paysage, la prairie grillée sous le soleil éclatant, le vert pâle de la vallée de la Milk River, les eaux laiteuses de la rivière, l'armoise et les peupliers, les plaines desséchées et craquelées qui se transforment en marécages dès qu'arrive la pluie. Ce paysage avait créé une distance aussi vaste qu'il était désert, et les gens se toléraient et se traitaient de même avec distance.

Mais celle que je ressentais ne venait pas du paysage ni des gens ; elle venait de moi. J'étais aussi loin de moi qu'un faucon de la lune. Et c'était pour ça que je n'éprouvais aucun sentiment particulier à l'égard de ma mère et de ma grand-mère. Ou de la fille qui vivait avec moi.

Je traversai la route et me glissai sous la clôture en barbelés, puis j'entamai les trois derniers kilomètres jusqu'à la maison. J'avais une soif terrible et la gorge me brûlait.

2

« Elle est partie il y a trois jours, juste après ton départ pour la ville.

– Ça ne fait rien, dis-je.

– Elle a pris ton fusil et ton rasoir électrique. »

La pièce était éclairée. C'était le début de l'après-midi, et pourtant on avait allumé la lumière de la cuisine.

« Qu'est-ce que tu t'imaginais que j'allais faire ? Il faut que je m'occupe de ta grand-mère. Je ne suis pas forte, et elle est jeune cette Cree !

– Ne t'inquiète pas.

– Au moins, récupère ton fusil. » Ma mère jeta les pelures de pommes de terre dans un sac en papier posé à ses pieds. « Tu sais bien qu'elle le vendrait pour boire. »

Ce fusil, un vieux 30-30, j'y avais autrefois attaché de l'importance. Comme mon père avant moi, j'avais tué de nombreux cerfs avec, mais je ne m'en servais plus depuis le jour où j'avais abattu le chien de Buster Cutfinger sans autre raison que j'étais soûl et qu'il bougeait. Ça se passait il y a quatre ans.

J'entendis un gloussement en provenance du séjour. Le rocking-chair grinça deux fois puis se tut.

« Comment va-t-elle ? demandai-je.

– Céréales chaudes et pudding – à quoi tu t'attendais ?

– Comment, pas de radis ? »

Ma mère ne répondit pas et continua à couper les pommes de terre en rondelles.

« Pourquoi on n'abat pas une de ces génisses ? Elle pourrait manger des steaks jusqu'à la fin de ses jours et il en resterait encore.

– Elle partira bien assez tôt sans que tu aies besoin de précipiter les choses. Tiens, mets ça sur ton œil – ça va aspirer le poison. » Elle me tendit une tranche de pomme de terre.

« Comment est Lame Bull ? »

Elle s'interrompit. « Qu'est-ce que tu veux dire ?

– Comment est Lame Bull ?

– Il revient ce soir ; tu verras par toi-même. Maintenant, va me chercher un autre seau d'eau.

– Comment est l'eau ? demandai-je.

– Ça ira. Il ne pleut plus jamais. » Elle versa les rondelles dans une poêle. « Il ne pleut jamais quand on en a besoin. »

Je pensai au goût tiède et fade de l'eau. Pas de pluie depuis la mi-juin et les tonneaux goudronnés sous les gouttières étaient vides. Le niveau de la citerne devait être bas et l'eau vaseuse.

Au moment où j'ouvris la porte, une mouche pénétra dans la maison en bourdonnant. La cour était envahie de mauvaises herbes et de queues-de-renard, et l'armoise poussait au-delà de la barrière. La terre s'effritait sous mes pas ; dans le soleil d'après-midi qui chauffait le marécage, deux canards sauvages survolèrent les peupliers à grands battements d'ailes puis disparurent. Je plongeai le seau dans la citerne, et un passereau se mit à chanter dans l'ombre projetée par la maison. La corde était rêche. Je laissai tomber le seau à deux reprises, et je regardai l'eau entrer à l'intérieur jusqu'à ce qu'il fût assez lourd pour s'enfoncer.

La fille ne comptait pas. C'était une Cree de Havre, méprisée par les gens de la réserve. Je l'avais ramenée trois semaines auparavant. Ma mère nous croyait mariés et la traitait avec politesse. Ma mère était catholique et aspergeait d'eau bénite tous les coins de la maison avant chaque orage. Elle buvait avec le prêtre de Harlem, un homme rondouillard au regard lointain qui refusait de mettre le pied sur la réserve. Il n'enterrait jamais les Indiens dans leurs cimetières de famille ; il les faisait venir à lui, à son église, à ses saints et à son eau bénite, à ses yeux inamicaux. Ma mère buvait en sa compagnie dans sa maison de bardeaux jouxtant l'église en plâtre jaune. Elle s'imaginait que j'avais épousé la fille, et elle s'efforçait de lui faire bonne figure tandis que celle-ci, l'air maussade, restait assise dans le séjour en face de la vieille, ma grand-mère, qui bourrait sa pipe en écume d'un mélange de feuilles de tabac et de merises séchées et pilées. Et elle, elle était là, devant la fille, pendant que cette dernière lisait des revues de cinéma en se prenant pour Raquel Welch.

La vieille se disait que c'était une Cree, une ennemie, et elle complotait de lui couper la gorge. À l'aide de la pierre à feu, ou encore du canif qu'elle dissimulait dans ses jambières. Jour après jour, ces deux-là demeuraient face à face jusqu'à ce que la pile de magazines jonche la moitié de la pièce et que le couteau pèse de plus en plus lourd dans le regard de la vieille femme.

3

Je descendis la berge de la rivière qui coulait derrière la maison. Après une demi-heure de recherches dans le grenier étouffant, j'avais fini par trouver une cuillère rouge et blanche dans la boîte à outils de mon père. L'hameçon triple était criblé de rouille, de même que la peinture de la cuillère. Je lançai juste au bord de la rive opposée. Il n'y avait presque pas de courant. Tandis que je ramenais le leurre, trois colverts passèrent devant moi dans un bruissement d'ailes avant de filer en amont.

La fabrique de sucre de betterave près de Chinook avait fermé sept ans plus tôt. Tout le monde pensait que c'était l'usine qui rendait la rivière laiteuse, mais rien n'avait changé. Les hommes blancs du département de la pêche débarquèrent avec leurs camions verts pour peupler les eaux de brochets. Pleins d'enthousiasme, ils déversèrent des milliers de brochets de toutes tailles. Mais la rivière ignora les poissons et les poissons ignorèrent la rivière; ils refusèrent même d'y mourir. Ils se contentèrent de s'évanouir en bloc. Les hommes blancs effectuèrent des tests: ils plongèrent des tiges électriques dans le courant; ils raclèrent la boue du lit; ils allèrent jusqu'à attraper les insectes des champs avoisinants; puis ils mirent d'autres espèces de poissons. En vain. Ceux-ci disparurent de même. Ensuite les hommes du département de la pêche disparurent à leur tour, et les Indiens rangèrent leurs cannes à pêche neuves. De temps en temps, le bruit courait néanmoins dans la vallée que quelqu'un, peut-être pendant qu'il irriguait, avait aperçu un éclair aux reflets cendrés engloutir un rat musqué, et les équipements ressortaient. Personne n'attrapa jamais un de ces éclairs, mais ça valait toujours la peine d'essayer.

Je lançai de nouveau la cuillère, et cette fois je la ramenai plus vite.

La boîte à outils appartenait à mon père, et on disait à l'époque qu'il pouvait réparer tout ce qui était en fer. L'automne venu, il révisait les machines. On disait aussi que lorsque les feuilles jaunissaient, la cour de First Raise se remplissait de fer ; et lorsqu'elles tombaient, elle se remplissait de feuilles. Il buvait avec les hommes blancs de Dodson. Ce n'était pas un homme tranquille ; il leur racontait des histoires et les faisait rire. Il leur prenait très cher pour réparer leurs machines. Vingt dollars pour mettre en route une lieuse – un dollar pour le coup de pied et dix-neuf pour savoir où le donner. Il les fit rire jusqu'à cette matinée où, dix ans auparavant, on le retrouva endormi par moins trente dans le fossé en face de chez les Earthboy.

Il avait eu des rêves. Chaque automne, avant le premier vent froid, il rêvait de chasser l'élan dans Glacier Park. Il dressait des plans. Il calculait le kilométrage, le temps du trajet, et celui nécessaire à tuer un élan et à le ramener de l'autre côté de la frontière où il avait garé son pick-up. Il établissait la liste des provisions et des objets à emporter. Il posait des questions, tâchait de savoir ce qu'il risquait au cas où il se ferait prendre. Il n'était pas malin comme Lame Bull ou les hommes blancs de Dodson, et il fallait donc qu'il connaisse la peine encourue, presque comme si celle-ci devait être la conséquence inévitable de son acte de braconnage.

Il ne s'était jamais fait prendre tout simplement parce

qu'il n'avait jamais accompli le voyage. Le rêve, les plans et les préparatifs participaient d'un rituel – une coutume à respecter une fois les foins terminés et le bétail redescendu des collines. Le soir, en graissant son 30-30, il expliquait qu'il valait mieux tuer un élan femelle car les mâles étaient durs et filandreux. Il préparait tout, mais il ne partait pas.

Mon leurre accrocha un tronc d'arbre abattu par le vent et le bout de la ligne de nylon cassa net. De l'autre côté de la rivière, au cœur de la forêt, une pie jacassait.

4

« Alors, on pêche, je vois. Ça mord ? »

Lame Bull dévala la berge au milieu d'un tourbillon de poussière. Il s'arrêta juste au bord de l'eau.

« J'ai perdu mon leurre, dis-je.

– Tu devrais essayer le bacon », reprit-il en regardant ma ligne flotter mollement à la surface. « Je les connais ces poissons. »

On approchait du début de la soirée. Un moustique se posa sur le visage de Lame Bull. Je ramenai mon fil et l'attachai à la poignée de la canne. Le veau beugla dans le corral. Sa mère, une vieille rouanne avec un œil de travers, lui répondit, quelque part du côté du bras de la rivière en fer à cheval.

« Tu devrais essayer le bacon. Tu le fais cuire, et puis tu jettes la graisse dans la rivière. Et dès le premier coup, tu en attrapes un gros.

– Les poissons sont bons ? demandai-je.

– Vaseux. La chair n'est pas ferme. La saison a été mauvaise. » Il s'épousseta les fesses. « Je n'ai pas vu une année aussi pourrie depuis les inondations. Demande à ta mère. Elle te le confirmera. »

On escalada la berge et on se dirigea vers la maison. Je me rappelais l'inondation. Il y a une douzaine d'années, toute la vallée depuis Chinook s'était retrouvée sous l'eau. Nous nous étions réfugiés à l'Agence où on nous avait hébergés dans un garage désaffecté avant de nous faire des piqûres contre la typhoïde.

« Toi, bien sûr, tu étais trop jeune.

– J'avais presque vingt ans, dis-je.

– Ton père a voulu suivre la route, mais son cheval avait peur de l'eau. Tu étais à peine plus qu'un bébé dans les bras de Teresa. Il a été désarçonné à peu près à mi-chemin.

– Je m'en souviens. J'avais presque vingt ans.

– Ah ! » Lame Bull éclata de rire. « Tu étais à peine plus qu'une lueur dans le regard de ton père.

– Son étrier a cassé – c'est comme ça que le cheval s'est débarrassé de lui. J'ai vu sa selle. C'était un défaut dans le cuir.

– Ah !

– À cheval, il te battait tous les jours.

– Ah ! »

La silhouette de Lame Bull s'encadra sur le seuil de la cuisine. Il n'était pas très grand, mais large comme un taureau.

« Alors, Teresa ! Ton fils me dit que tu es prête à m'épouser.

– Mon fils ment comme un arracheur de dents. Il est fait dans le même moule que toi. »

Sa voix était claire et amère.

« Et pourquoi pas ? On ferait vibrer le lit. Chanter les draps.

– Espèce d'idiot... tu parles comme si ma mère n'avait pas d'oreilles », dit Teresa.

Deux grincements s'élevèrent du séjour.

« Alors, la vieille, on se balance ? » Lame Bull passa devant ma mère pour pénétrer dans le séjour. « On pousse ? »

Le rocking-chair gémit de nouveau.

« Elle se fane, dis-je. Il n'y a plus d'engrais dans ses os.

– J'ai l'impression d'être entourée d'imbéciles aujourd'hui. » Teresa alluma le feu sous les pommes de terre. « Peut-être que l'un de vous deux pourrait aller nourrir le veau. Il va beugler toute la nuit. »

Le soir tombait et le soleil couchant projetait des lueurs roses qui se réfléchissaient sur les nuages. Un faisan criaillait dans un champ. Sans doute un coq solitaire qui débouchait d'un églantier le long d'un canal d'irrigation pour rejoindre un champ de tendre luzerne, peut-être afin d'y picorer en compagnie d'autres coqs et d'autres poules, ou bien seul. Difficile de savoir ce que les coqs font en vieillissant. Ils sont comme les hommes, pleins de tours et de détours.

Le veau était collé contre la clôture, la tête entre deux poteaux, et il tétait sa mère.

« Fous le camp, espèce de salope ! »

La vache fit un bond en arrière, galopa en crabe sur quelques mètres, puis s'arrêta, les muscles tendus. De sa langue pendait presque jusqu'au sol un filet de salive et son œil fou, cerclé de blanc, ne regardait nulle part en particulier.

« Tu ne vois donc pas qu'on essaye de sevrer ce crétin ? »

Je m'avançai lentement vers le veau, la main offerte et sans cesser de lui parler, pour l'acculer dans l'angle que formait l'écurie avec le corral. Avant qu'il n'ait eu le temps de réagir, je le saisis par l'oreille et je pivotai aussitôt pour lui coincer l'épaule contre la barrière. J'écartai d'une gifle un moustique de mon visage et le veau se mit à beugler ; puis il se tut.

Au contact de la chair ferme de sa cuisse, je me rappelai comment mon frère Mose et moi nous grimpions sur le dos des veaux, équipés des vieilles jambières qu'on trouvait accrochées dans l'écurie. L'un tenait l'animal, et au cri de « Lâche-le ! » l'enfer se déchaînait. Des heures durant, on faisait ainsi notre rodéo jusqu'à ce que First Raise nous surprenne.

Le veau s'échappa de sous mon bras, se recula dans le coin, puis fonça sur moi, me projetant contre le mur de l'écurie. Un de ses sabots effleura le devant de ma chemise.

Je lançai un peu de foin dans le corral, puis je remplis le baquet avec l'eau de la rivière. De petits insectes filaient à la surface de la boue. Ils ressemblaient à des coccinelles munies de longues pattes. Un têtard gisait au fond, immobile. Je le ramassai et le posai sur un petit tas de fumier. Il ne bougeait toujours pas. Je le poussai du bout d'un brin de paille. Sur le fumier à la texture rugueuse, il brillait comme une larme sombre. Je le remis dans le baquet où il s'enfonça d'un petit coup de queue.

L'air était chaud et agréable, et les hauts nuages roses viraient au pourpre. Je chassai de nouveau la vache vers le bras marécageux de la rivière. Mais elle reviendrait. Ses pis pendaient, lourds de lait.

5

Après dîner, ma mère débarrassa la table. Lame Bull finit son café et se leva.

« Il ne faut pas que j'oublie de rapporter de la lotion anti-moustiques. » Elle vida les dernières gouttes dans sa paume et s'en enduit la figure et le cou. « Si ta grand-mère a besoin de quelque chose, occupe-toi d'elle. »

Elle posa la main sur l'avant-bras de Lame Bull, et ils sortirent ensemble.

Je me versai une deuxième tasse de café. Le bruit du moteur du pick-up me surprit. Mais peut-être allaient-ils faire des courses. J'entrai dans le séjour.

« Vieille femme, tu veux un peu de musique ? »

Je me penchai au-dessus de son rocking-chair, le visage tout proche du sien.

Elle regarda ma bouche. Ses yeux étaient voilés et inexpressifs. Sous son foulard noir, une couronne de cheveux rêches, séparés par une raie au milieu, encadrait son visage gris.

« Musique, répétai-je plus fort.

– Aïe, aïe », caqueta-t-elle en hochant la tête et en se balançant légèrement sous le poids de mes bras appuyés contre le fauteuil.

J'allumai le gros poste de radio en bois et je le laissai chauffer. La plaque de verre sur le devant était fêlée et le cadran qu'elle aurait dû protéger avait disparu. Un faible bourdonnement envahit la pièce, suivi du son de mille violons. Le rocking-chair gémit.

« Tabac », dis-je.

La vieille me regarda.

Je lui bourrai sa pipe, puis la lui plantai dans la bouche. L'allumette s'enflamma et éclaira le grain de beauté sur sa lèvre supérieure. Trois poils noirs s'agitèrent tandis qu'elle aspirait la fumée.

Le fauteuil avec les revues de cinéma éparpillées autour étant trop inconfortable, je m'assis par terre, le dos contre la radio. Les violons vibraient à travers tout mon corps. La couverture de *Sports Afield* manquait et les pages étaient écornées, mais je le pris pour le feuilleter, à la recherche d'une histoire que je n'aurais pas encore lue. Je m'arrêtai sur une publicité pour un leurre qui « parlait aux poissons ». Je déchirai le coupon-réponse. C'était peut-être ça le secret.

Je connaissais toutes les histoires, aussi je relus celle des trois hommes en Afrique qui traquèrent pendant trois jours un lion mangeur d'hommes à partir du théâtre de son dernier forfait – le meurtre d'une femme noire enceinte. Ils réussirent à sauver le bébé qu'elle portait, qui, apprirent-ils à leur grand étonnement, deviendrait un jour roi de la tribu. Ils suivirent la piste du lion jusqu'au quatrième jour, où ils s'aperçurent que c'était en fait celui-ci qui les traquait depuis le début. Ils avaient décrit un large cercle. C'était très dangereux, affirma McLeod, un négociant en Pepsi-Cola d'Atlanta. Ils tuèrent le lion cette nuit-là, alors qu'il essayait de déchirer la toile de leur tente.

J'examinai de nouveau les photos. L'une montrait McLeod et Henderson agenouillés devant le cadavre du lion, entourés d'un groupe de Noirs souriants. Le troisième homme, Enright, ne figurait pas sur le cliché.

Je levai les yeux. La vieille me regardait toujours.

6

Lame Bull et ma mère demeurèrent absents trois jours. À leur retour, il portait de nouvelles bottes, le genre fantaisie à hauts talons, et elle, une robe turquoise chatoyante. Ils sentaient la transpiration et avaient la gueule de bois. Teresa me dit qu'ils s'étaient mariés à Malta.

Ce soir-là, on se soûla à la table de la cuisine.

7

Lame Bull avait épousé cent quatre-vingts hectares de plantes fourragères, rien que des champs irrigués, nivelés, l'une des meilleures terres de la vallée, de même que mille hectares de pâturages en affermage. Il avait épousé aussi la marque T-Y apposée sur le flanc gauche de chacun des bœufs du ranch. Et, naturellement, il avait épousé Teresa, ma mère. Il avait quarante-sept ans, huit de moins qu'elle, et il réussissait, devenu d'un coup éleveur de bétail florissant.

Le lendemain, Lame Bull et moi on se leva tôt. Il jura en essayant de faire démarrer le petit John Deere. Il régla le compresseur, puis tira de nouveau sur la corde entraînant le volant; le moteur toussa deux fois, puis trouva son rythme et se mit à ronronner. On attela la charrette à foin au tracteur, et après avoir longé le corral et le bras de la rivière, on suivit le sentier en amont, bordé d'églantiers, puis on franchit un champ d'armoise descendant en direction d'un bosquet de peupliers blancs qui dressaient leurs branches mortes. Un cerf bondit de parmi les saules et s'enfuit avec un petit au revoir de sa queue blanche.

La cabane en rondins et boue séchée était nichée dans le creux d'un méandre. Un fil rouillé montait de la seule fenêtre jusqu'au sommet du toit, relié à une antenne de voiture, ce qui constituait depuis toujours un mystère pour moi dans la mesure où Lame Bull n'avait pas l'électricité. Il réunit ses maigres possessions – une scie à chaîne, une radio portative, deux cartons de vêtements, un manteau de berger et les grandes bottes qu'il mettait pour irriguer.

« Il faut que je pense à racheter des rustines », dit-il en passant le doigt à travers un trou dans l'une des bottes.

On ferma la cabane à l'aide d'un cadenas et, la pompe recouverte d'une vieille bâche, on repartit. Lame Bull huma une dernière fois l'atmosphère de cette terre merveilleuse qui avait été si bonne à son égard.

Un peu plus tard, en arrivant près du corral, j'aperçus la vache à l'œil de travers et la petite tête de son veau entre les montants. La vache léchait la tête. Un passereau chantait, perché au-dessus d'eux sur un poteau. La matinée était encore fraîche, et le soleil éclairait l'écurie à l'oblique. Derrière les portes coulissantes du bâtiment, il y avait sans doute des chauves-souris accrochées aux fissures.

Le vieux Bird frissonna et se dressa sur les jambes arrière dans la pénombre. Il leva sa grande tête blanche et retroussa les lèvres. De loin, je distinguai ses dents jaunes, serrées comme s'il s'efforçait de nous sourire. Bien que ne travaillant plus, il préférait la fraîcheur et le demi-jour de l'écurie au pré derrière le bras de la rivière. Peut-être se sentait-il important et désirait-il être consulté quand on sellait l'alezan et Nig les fois où l'on devait s'occuper du troupeau. Peu importait la saison, peu importait le temps, on le trouvait toujours là. Il devait s'imaginer avoir autant droit que nous à ces lieux, car il nous accueillit avec un hennissement de bienvenue. Il était vieux et il avait presque tout vu.

8

Teresa était assise sur le bord de la citerne en ciment.

« Ton père a gagné Amos à la foire. Il était tellement ivre qu'il ne voyait même pas les assiettes où on lance les pièces.

– Amos nous suivait tous les matins jusqu'à la route, dis-je. Il fallait le chasser à coups de pierre.

– Les autres se sont noyés parce que vous n'aviez pas suffisamment rempli la lessiveuse. Vous étiez comme ça, les garçons. »

Ses doigts, posés sur ses cuisses, étaient longs, la peau tendue sur les os comme celle d'un tambour. On apercevait Lame Bull en bas, près du grenier, lequel servait également de cabane à outils. Il aiguisait les couteaux de la faucheuse.

« Ce jour-là, on a été en ville faire les courses. Je me rappelle qu'on a assisté au spectacle.

– Oui, et à notre retour, tous les canards s'étaient noyés. Sauf Amos. Il était perché sur le rebord du baquet.

– Mais lui, il n'avait pas plongé dedans. Il devait être plus intelligent que les autres », dis-je.

Lame Bull appuya plus fort sur la pédale, puis versa un peu d'eau sur la meule.

« Il a eu de la chance, c'est tout. Un canard ne peut pas être plus intelligent qu'un autre. Ils sont comme les Indiens.

– Alors, pourquoi il n'a pas fait comme les autres ?

– Tu ne te souviens pas combien le temps était gris et froid ?

– Mais les autres...

– ... des crétins. On vous avait bien recommandé, les garçons, de veiller à ce que la lessiveuse soit toujours pleine. »

Elle le dit avec gentillesse, peut-être pour atténuer mes remords au cas où j'en éprouverais encore, ou peut-être parce que les canards n'avaient pas d'importance. Surtout ceux que l'on gagnait à la foire de Dodson.

On les avait rapportés dans un carton. Ils étaient cinq, Amos compris. On avait creusé un trou assez large pour recevoir la lessiveuse et assez profond pour que le haut soit au niveau du sol. Puis on l'avait remplie à ras bord afin que les canards puissent y entrer ou en sortir à leur guise. Mais nous n'avions pas prévu qu'ils boiraient l'eau et la videraient en éclaboussant par leurs battements d'ailes. Sept jours plus tard, cet après-midi là, le niveau de l'eau n'avait baissé que de deux ou trois centimètres, mais ce fut suffisant. Pour les petits canards jaunes, cette modeste hauteur de tôle galvanisée équivalait à la paroi du Grand Canyon.

Le veau se mit soudain à beugler dans le corral.

Le souvenir du jour où les canards s'étaient noyés demeurait encore frais dans ma mémoire. La légère odeur de fourrures de rats musqués qui s'élevait de l'étable, le vent qui faisait s'envoler mon chapeau de paille et claquer le papier cristal sur les ouvertures pratiquées dans la porte de l'étable ; et au-dessus, la masse de nuages gris qui glissait tandis que nous étions restés plantés pendant ce qui nous avait paru des heures à côté de la voiture en contemplant la lessiveuse derrière la barrière. Et les canetons qui flottaient, la tête plongée dans l'eau comme s'ils fouillaient le fond à la recherche de nourriture. Et Amos perché sur le bord, qui les regardait avec curiosité.

Ma mère continuait à parler de lui. L'endroit où les canards avaient péri était à moins de six pas de nous. Là, les mauvaises herbes poussaient plus dru, comme si l'âme des oiseaux morts avait enrichi le sol.

« Et qu'est-ce qu'il est devenu ? demandai-je.

– On l'a mangé à Noël. Tu ne te souviens pas de la belle volaille qu'il faisait ?

– Mais je croyais que c'était le dindon.

– Pas du tout. Le dindon, c'est un lynx qui l'a mangé. Tu ne te rappelles pas que ton frère a découvert des plumes tout le long du chemin entre la cabane à outils et le corral ?

– Quelle horrible bête !

– Oh ! fit-elle en riant. Il vous poursuivait tous les deux dès que vous mettiez le pied dans la cour. On laissait toujours une batte de base-ball près du lavabo. Et vous la preniez chaque fois que vous alliez dehors aux cabinets.

– Mais toi, il ne t'attaquait jamais.

– Encore heureux ! Je lui aurais tordu le cou à ce maudit volatile ! »

Lame Bull était installé sur le cadre de bois, et la grande meule tournait de plus en plus vite tandis que ses jambes s'activaient. Une pluie d'étincelles jaillissait de la lame.

Restait une question que je ne tenais pas trop à poser. « Qui... ? lequel de nous... ? »

Teresa devina.

« ... a tué Amos ? Qui veux-tu que ce soit ? Aucun de vous deux, les garçons, n'en aurait eu le cran. Pour ce qui est de vous vanter, vous ne craigniez personne ; Dieu sait qu'à l'époque vous étiez très forts en paroles, et votre père...

– C'est First Raise qui l'a tué ?

– Ton père n'était même pas là ! » Sa belle voix empreinte d'amertume résonna dans la chaleur de l'après-midi.

« Mais je vais te dire une chose – je n'ai jamais vu spectacle plus affligeant que lors de son retour. »

Maintenant, je me sentais l'esprit confus. Le dindon n'avait pas beaucoup d'importance. Je me souvenais encore des larges ailes qui s'agitaient près de ma tête pendant qu'il plantait ses éperons de part et d'autre de ma poitrine et m'entraînait à terre sous son poids jusqu'à ce que j'appelle au secours. Venaient alors les cris, le sifflement de la batte de base-ball et les jurons, et enfin le calme. C'était toujours mon père qui se penchait sur moi : « Il n'a rien, Teresa, il n'a rien... » Je croyais que c'était lui qui l'avait tué. Et à présent, c'était ma mère, tandis que First Raise se trouvait en ville et faisait rire les hommes blancs. Pourtant, c'était toujours lui qui me portait à la maison et me couchait sur mon lit jusqu'à ce que la brûlure sous mon crâne s'apaise. C'était donc le lynx qui avait tué Amos...

« Mais non ! Le lynx a tué le dindon », dit Teresa, puis elle ajouta à voix basse, comme si Lame Bull pouvait entendre malgré le crissement de l'acier, comme si Bird pouvait entendre malgré les beuglements du veau, comme si les poissons qui n'avaient jamais peuplé la rivière pouvaient entendre : « C'est moi qui ai tué Amos. »

9

« Pourquoi disparaissait-il si longtemps ? demandai-je.
– Qui ? Ton père ? »
La question la prit au dépourvu.
« Oui, pourquoi ?
– Il ne disparaissait pas longtemps. Il était souvent là. Et quand il était là, il faisait un tas de choses.
– Mais tu disais toi-même qu'il n'était jamais là.
– Tu as dû confondre avec toi. Lui, il finissait toujours ce qu'il entreprenait. »
Nous étions assis sur le bord de la citerne. Teresa frottait d'huile un saladier en bois. C'était un cadeau du prêtre de Harlem, mais elle ne s'en servait jamais.
« Alors, d'après toi, qui aurait construit cette chambre supplémentaire ? » fit-elle. Elle s'essuya les doigts l'un contre l'autre. « Il restait le temps qu'il fallait – et d'ailleurs, quand ils l'ont trouvé, il était sur le chemin de la maison.
– Comment tu peux le savoir ? »
Mais je connaissais la réponse.
« Il montrait la direction de la maison. Ils me l'ont dit. »
Je secouai la tête.
« Non ?
– La mémoire nous trahit », dis-je.
C'était toujours « ils » qui l'avaient trouvé, et pourtant je gardais le souvenir, éternel comme la neige qui tourbillonne, que c'était nous, que nous l'avions cherché

après le troisième jour, ou le quatrième, ou le cinquième, le long des parois blanches entre la route et le fossé. Je me revoyais presque entrer dans le bar à Dodson pour m'entendre dire qu'il était reparti chez lui la nuit précédente ; donc, nous avions certainement regardé partout dans les fossés. Comment l'avions-nous repéré ? Une chaussure ou une main qui dépassait, ou juste un tas blanc aux reflets bleutés au milieu des étendues infinies de blancheur fuyante ? Je ne me rappelais aucun détail avant qu'on n'eût creusé sa tombe, et cependant j'étais sûr que nous l'avions découvert les premiers. Les hivers étaient toujours éternels et vides de détails, mais je ne me souvenais d'aucun autre visage, d'aucune autre voix.

Ma mère se leva et se massa le derrière des cuisses.

« C'était un drôle de bonhomme, dit-elle.

– C'est pour ça qu'il partait ?

– Oui, je crois. » Son regard se porta en direction de la cabane à outils. Trois des lames de la faucheuse, fraîchement aiguisées, reposaient contre le mur du grenier, et leurs dents triangulaires brillaient comme de la glace dans le soleil. « Tu sais ce que c'est.

– Il n'était pas satisfait de sa vie, dis-je.

– Il faisait tout ce qu'il voulait.

– Mais rien ne le satisfaisait. »

Teresa pivota, les yeux noirs et agrandis de colère.

« Et pour quelle raison ?

– Il n'était pas heureux...

– Et tu t'imagines qu'il l'était, allongé dans ce fossé, les paupières collées par le gel, empestant la bière... »

Mais celui-là, c'était quelqu'un d'autre, pas First Raise, pas l'homme qui réparait les machines, qui organisait sa partie de chasse avec tant de soin qu'elle n'eut jamais lieu. Au contraire de Teresa, je ne connaissais pas l'homme mort de froid dans le fossé. C'est peut-être pour cette raison que je n'avais rien ressenti avant l'enterrement.

« Il était satisfait, reprit-elle. Il ne tenait pas en place, c'est tout. Il n'arrivait pas à se fixer. »

Un bang supersonique ébranla la porte de la cabane, puis son écho mourut au loin. Teresa scruta le ciel, la main en visière. On ne voyait pas d'avion. Elle baissa les yeux sur moi.

« Tu me le reproches ? »

Je grattai une piqûre de moustique sur le dos de ma main tout en réfléchissant.

« C'était un vagabond – comme toi, comme tous ces foutus Indiens. » Sa voix se fit de nouveau plus assurée et amère. « Toi, je ne te comprends pas. Quand tu as été à Tacoma pour cette deuxième opération, ils voulaient que tu restes. Tu aurais pu devenir quelqu'un.

– Je ne te le reproche pas, dis-je.

– Tu penses trop. Il n'y a rien de mal à être indien. Du moment que tu peux faire le boulot, quelle différence ?

– Je suis resté près de deux ans.

– Deux ans, tu parles ! » s'écria-t-elle avec mépris. « Plutôt un – et après, tu as passé ton temps à Seattle, à traîner dans les bars avec ces autres épaves.

– Ils n'ont pas arrangé mon genou.

– Je vois : il est censé guérir tout seul. Sans que tu aies besoin de faire les exercices prescrits. » Elle ramassa le saladier. Elle en avait terminé avec cette partie de ma vie. Une aigrette de pissenlit s'était collée au bord. « Et ta femme ? » Elle souffla sur l'aigrette. « Ta grand-mère ne l'aime pas. »

Je n'avais jamais rien attendu de Teresa et je n'avais jamais rien obtenu. Mais c'était pareil pour tout le monde. Et c'est peut-être pour ça que First Raise quittait si souvent la maison. Qu'il descendait en ville et faisait rire les hommes blancs. En dépit de leurs moqueries, ils respectaient ses talents de mécanicien ; ils lui donnaient plus que sa femme. Je me demandais pourquoi il avait tenu le coup si longtemps. Il aurait pu partir. Le ranch appartenait à Teresa, et nous ne risquions donc pas de mourir de faim. Il était sans doute resté pour mon frère Mose et moi. On comptait à ses yeux, même s'il ne l'aurait jamais avoué. Manifestement, il aimait la façon dont nous grandissions et dont nous apprenions à conduire le tracteur, à chevaucher les veaux, à vider les lapins et les faisans. Mais il ne le disait pas, et après la mort de Mose, il ne manifesta rien. Il s'absenta plus longtemps, jusqu'à une semaine ou deux à une époque. Parfois, nous allions le chercher, et parfois, on le retrouvait au milieu de la cour, dans un état lamentable. Après quelque temps, un mois peut-être, de travail fiévreux, on l'appelait pour réparer un tracteur, et tout recommençait. Il ne partait jamais vraiment, mais il ne restait jamais vraiment non plus. Il paraissait toujours en transit.

Dix années s'étaient écoulées depuis ce jour d'hiver où ses vagabondages avaient pris fin, et rien d'important ne m'était arrivé. On m'avait offert une chance, celle de travailler à la clinique de rééducation de Tacoma. Ils m'aimaient bien parce qu'ils me considéraient comme plus intelligent que la plupart des autres. C'est ce qu'ils disaient, et je les croyais. Il fallut une infirmière qui détestait les Indiens pour m'apprendre la vérité, à savoir qu'ils désiraient une subvention pour construire une nouvelle aile et que j'étais le premier du quota d'Indiens qu'ils devaient employer afin de le recevoir. En fait, cette femme fut ma bienfaitrice. Je rentrai donc à la maison.

« Il me semble que ta grand-mère mérite plus que ta femme d'être ici, non ?

– Elle est déjà là depuis un bon bout de temps, acquiesçai-je.

– Ta femme n'était pas heureuse ici », dit Teresa. Puis elle ajouta : « Sa place est en ville. »

Dans les bars, pensai-je. C'est ça que tu veux dire, mais maintenant je m'en moque. Juste une fille que j'ai ramassée et ramenée à la maison, un petit dessert, rien de plus. Et pourtant, au cours de ces nuits solitaires, j'éprouvais un choc en la revoyant devant la fenêtre dans le clair de lune qui faisait luire la naissance de ses seins et projetait des ombres légères le long de ses côtes. Le souvenir était plus vrai que la réalité.

Lame Bull, son travail achevé, revenait vers nous. Il se frappa la cuisse de ses gants et se retourna vers les lames étincelantes alignées contre le mur. Il avait l'air content de lui.

« Il n'y a pas assez à faire ici pour toi, dit ma mère. Tu ferais bien de commencer à chercher quelque chose dans le coin. »

10

Maintenant qu'il était propriétaire, Lame Bull souriait tout le temps. Il souriait en fauchant les champs de luzerne et de pâturin. Il souriait en arrivant déjeuner, et le soir, quand le petit tracteur pénétrait dans la cour en pétaradant pour s'arrêter le long du grenier, on voyait briller ses dents blanches à travers l'espèce de voilette anti-moustiques accrochée au bord de son chapeau. Il se laissa pousser les pattes pour que les poils raides et drus viennent encadrer sa figure ronde. Teresa se plaignait de ses mauvaises manières, de ses traits grossiers. Elle n'aimait pas la façon dont il asticotait la vieille, et elle n'aimait pas non plus son habitude de ne pas vider la poussière et la menue paille accumulées dans les revers de ses pantalons. Son sourire représentait un défi silencieux, et les nuits d'été vibraient dans la chambre à côté de la cuisine. Teresa devait aimer sa musique.

On rentra les premiers foins. Lame Bull fauchait la luzerne, les serpents, le pâturin, les bébés lapins, les entrelacements de barbelés, et il allait parfois jusqu'à changer à quatre reprises les couteaux dans une seule journée. Le matin de bonne heure, on le trouvait près du grenier en train d'aiguiser les lames ébréchées et tordues. Il tenait à faucher et faire les gerbes lui-même, de sorte que mon seul travail, par ailleurs fort monotone, consistait à ratisser pour préparer le passage de la lieuse. Je réunissais donc les andains en décrivant des cercles de plus en plus serrés à mesure que j'approchais du centre. Rebondissant sur le siège élastique du Farmall, un modèle assez récent, j'observais Lame Bull dans le champ voisin. Il ne cessait de bricoler la lieuse pour augmenter la tension dans le but de former des bottes plus compactes, et il ne la relâchait qu'au moment où elles commençaient à se briser. De temps en temps, je voyais le tracteur ralentir, le pot d'échappement cracher avec régularité de petits nuages de fumée noire et les jambes de Lame Bull apparaître sous la lieuse. Il se plaisait à jouer les propriétaires et tout alla bien jusqu'au moment où l'on engagea Raymond Long Knive pour nous aider à dresser les meules.

Il descendait d'une longue lignée de cow-boys. Sa mère elle-même, la meilleure de tous, chevauchait des heures durant, et plusieurs jours d'affilée, quand il fallait rassembler le bétail pour le marquer. Dans l'enclos de fortune, elle luttait avec les veaux, les castrait, puis jetait les testicules dans les cendres du feu où rougissaient les fers. Elle se faisait un devoir de manger les testicules rôtis en fixant tous les hommes un par un – même ses fils qui, comme le reste d'entre nous, contemplaient les collines rousses dans l'attente qu'elle eût fini.

C'était peut-être à cause de cette mère farouche que Long Knive devint malin à la manière des imbéciles. Il apprit à donner l'illusion de travailler, au point de se mettre à transpirer dès qu'il enfilait ses gants, tout en faisant le minimum. Mais comme il était le fils de Belva Long Knive et qu'il traînait toujours dans le bar de Dodson, on le demandait constamment.

Le jour où on l'embaucha, le temps changea. C'était l'une de ces rares journées de la mi-juillet où le vent froid souffle à travers les peupliers et où le ciel paraît s'arrêter à quinze mètres de hauteur. Les nuages déchiquetés semblaient à la fois se fondre à la grisaille et s'en détacher; des amas de blanc s'écartaient brusquement et laissaient un instant le soleil filtrer avant que les nuages ne se referment et filent au nord.

Bien entendu, Lame Bull conduisait le râteau mécanique, non parce qu'il s'y prenait mieux que nous, mais parce que c'était le boulot du propriétaire. Il portait sa veste en duvet et son stetson gris perle taché de sueur enfoncé sur son gros crâne. Quoique large et trapu, mesurant une demi-tête de moins que Teresa ou moi, il avait un torse plutôt long; assis sur le râteau adapté à un vieux chassis de voiture, il paraissait grand, mais pour atteindre les pédales de frein et d'embrayage, il devait glisser en avant sur le siège.

Il abaissa le râteau et chargea la première rangée de gerbes. Les dents raclèrent le chaume; alors le propriétaire tira un levier et le râteau se souleva. Il donna un coup de volant et vint déposer les bottes à nos pieds. On commença à faire la meule.

À midi, le premier champ était terminé. Pendant deux jours, tout se passa à peu près bien. Long Knive et moi érigions les meules avec soin, équarrissant les angles et coinçant bien chaque couche sous la suivante pour que l'ensemble ne penche pas ou, pire, ne s'effondre pas. Le temps resta couvert, et donna parfois l'impression de s'éclaircir, ou, au contraire, de tourner à la pluie. Mais il ne tomba pas d'averses, et Lame Bull était heureux. Il contemplait amoureusement les gerbiers que nous laissions derrière nous.

Le troisième jour, il n'y avait plus un seul nuage dans le ciel. Ce matin-là, on ne travailla pas afin de permettre aux bottes de sécher. Certes, il n'avait pas plu, mais avec l'humidité et la rosée, elles risquaient de pourrir si on les empilait tout de suite. Après le déjeuner, Long Knive et moi prîmes le pick-up pour regagner le champ. Lame Bull, ayant cassé deux dents du râteau et bousillé le vérin hydraulique, suivait avec le tracteur et la charrette à foin. Nous allions devoir ramasser les gerbes à la main, ce qui annonçait une longue et pénible après-midi. Dans le rétroviseur, j'apercevais le visage souriant de Lame Bull, en partie masqué par le pot d'échappement vertical du tracteur. Long Knive se pencha par la vitre de la camionnette et tourna vers le ciel son petit visage rond au nez court et pointu et aux yeux légèrement bridés. Pour cette raison, on le surnommait le Chinois. C'était un homme grand et mince, affligé d'un soupçon de ventre qui débordait au-dessus de la boucle en argent de sa ceinture sur laquelle figuraient un cheval cabré et les mots : *Roi des cow-boys, rodéo de Wolf Point, 1954*. Elle était usée et brillante d'avoir frotté contre les comptoirs de tous les bars de la vallée. On ne l'appelait pas le Chinois devant lui, depuis le jour où il avait failli tuer l'huttérite à coups de cette même boucle.

« Bon dieu ! c'est beau, non ? » fit-il.

Je hochai la tête, mais comme il regardait toujours par la portière, je dis :

« Et comment.

– Combien me doit Lame Bull ?

– Deux jours – vingt dollars jusqu'à maintenant. »

Long Knive admirait le paysage. Au nord, juste au-dessus de l'horizon, on distinguait la queue des nuages de ces deux derniers jours.

« Vingt dollars – ça fait pas lourd pour deux journées de boulot, hein ? »

Je ne répondis pas.

« Enfin, ça ira... bon dieu, oui, ça ira. » Il s'exprimait comme s'il venait de prendre une grande décision. « Et toi, il te paye combien ?

– Pareil – dix dollars par jour.

– Sûr, c'est pas lourd. »

Il était toujours penché dehors. Il secoua la tête, et ses cheveux noirs rebiquèrent contre le col de sa chemise.

On traversa le canal d'irrigation asséché. C'était le dernier champ ; la luzerne y poussait plus dru qu'ailleurs et les gerbes s'alignaient au sol, à peine espacées de trois mètres. Je coupai le moteur. Les cheveux de Long Knive frottaient contre son col tandis qu'il continuait à secouer la tête. Nous attendîmes Lame Bull.

Il arrêta le tracteur à côté du pick-up et nous adressa un large sourire cependant qu'on descendait de voiture. « Toi, tu les jettes, me dit-il. Raymond les empilera – d'accord, Raymond ? »

Long Knive paraissait mal à l'aise. Je devinais ce qu'il préparait, mais Lame Bull, lui, ne cessa pas de sourire. Je me dirigeai vers une gerbe près de la charrette et la lançai à l'intérieur. Long Knive dit quelque chose, mais le bruit du moteur du tracteur qui tournait au ralenti couvrit ses paroles. Je passai de l'autre côté et je ramassai une deuxième botte. Lame Bull se baissa vers Long Knive. « Tu quoi ? » Je saisis une troisième gerbe. « Tu m'as entendu ! » Je retournai au pick-up boire un peu d'eau au goulot de l'outre. « Tu m'as entendu ! »

Lame Bull appuya sur l'embrayage du tracteur, lequel effectua une petite embardée avant de s'immobiliser. Lame Bull sauta à bas du siège et vérifia le système d'attache. Puis il alla donner un coup de pied dans le pneu de devant. « Rappelle-moi de le regonfler un peu », dit-il.

Long Knive l'imita avec l'un des gros pneus arrière, puis acquiesça d'un signe de tête. Je rebouchai l'outre et l'accrochai à la poignée de la portière. Lame Bull nous tournait le dos. Il souriait au champ parsemé de bottes de foin. Je le savais.

« Bon, tu me ramènes en ville et je t'offre une bière », dit Long Knive.

J'évitai son regard. Je ne tenais pas à être son allié.

Long Knive s'avança vers Lame Bull :

« Mais regarde mes mains – elles sont entaillées et elles saignent. Tu veux que ça s'infecte ? »

Lame Bull refusa de regarder.

« Je te paierai les notes de médecin quand on aura fini.

– J'ai la tête qui tourne en rond par cette chaleur.

– Je paierai aussi pour ta tête.

– On ferait mieux de s'y mettre », intervins-je, mais ils ne bougèrent pas.

Je m'assis sur le marchepied.

« Regarde donc mes mains, toi. »

Je m'exécutai. C'est vrai que la peau était à vif à force de manipuler les gerbes. Et un doigt présentait effectivement une coupure.

« Tu t'es fait ça hier soir avec l'une de ces revues de cinéma, dis-je. Et puis, tu n'avais qu'à porter des gants comme tout le monde. »

Long Knive croisa les bras et s'adossa au pare-chocs du pick-up. Il était clair que, quoi qu'il arrive, il refuserait de reprendre le travail. On perdait du temps et je voulais en terminer avec ce champ. C'était le dernier.

« Écoute, Lame Bull, laisse-le partir. On va mettre les bouchées doubles et comme ça on n'en parlera plus. »

Ma logique parut impressionner Long Knive.

« Écoute-le, Lame Bull, il a raison. »

Mais Lame Bull n'écoutait pas. Il n'écoutait personne. Je réalisai, cependant que son regard balayait le champ, qu'il comptait les gerbes, les convertissait en vaches, puis les vaches en veaux, et enfin les veaux en dollars.

« Tu ne peux pas me garder ici contre ma volonté. Tu dois me payer et me laisser rentrer en ville.

– Allez, Lame Bull, paie-le donc, dis-je.

– Oui, paie-moi, reprit Long Knive.

– Oui, il a raison, le petit.

– C'est pas un esclave, tu sais. »

Il y eut un silence. De l'endroit où je me tenais, j'apercevais la route, mais elle était déserte. Au-delà, les Petites Rocheuses semblaient encore plus petites que leur nom ne l'indiquait.

Sans se retourner, Lame Bull sortit son portefeuille graisseux décoré à la main, puis en tira un billet qu'il roula en boule et lança par-dessus sa tête. Il atterrit à nos pieds.

« J'aime mieux ça, dit Long Knive en défroissant le billet, une coupure de vingt dollars. Tu me ramènes, petit ?

– Je n'ai pas de voiture.

– Tu pourrais prendre le pick-up.

– Il n'est pas à moi. Il appartient à Teresa.

– Mais c'est ta mère. »

Long Knive commençait à désespérer.

« C'est sa femme », dis-je en contemplant le dos de Lame Bull. « Pourquoi tu ne lui demandes pas à lui de te reconduire ? »

Long Knive réfléchit un instant. Il repoussa son chapeau en arrière. « Je te donnerai deux dollars », dit-il enfin comme s'il offrait à Lame Bull une partie du monde. « Deux dollars, plus une bière en arrivant. »

La pie qui dérivait dans le ciel d'après-midi parut se figer puis bondir en l'air lorsque le poing de Lame Bull s'écrasa. La tête de Long Knive tressauta tandis qu'il se retrouvait projeté contre le pick-up et que son chapeau s'envolait. C'était un coup en traître, délivré droit depuis l'épaule avec un petit bond pour atteindre le nez de l'homme plus grand que lui.

« Dieu tout-puissant ! » m'écriai-je en m'écartant du sang qui giclait.

Lame Bull ne souriait plus. Il empoigna Long Knive et le balança sur la plate-forme du pick-up. « Grimpe », m'ordonna-t-il. Je ramassai le chapeau – le cuir intérieur était déjà mouillé – et montai devant. Lame Bull avait enveloppé sa main dans un foulard bleu. Les vitesses grincèrent, le moteur gémit, et la camionnette fila à travers champs en direction de la route.

« Il faudrait peut-être que tu te fasses faire une piqûre antitétanique pour ta main », dis-je en regardant Long Knive par la lunette arrière, qui, le visage maculé de sang, contemplait paisiblement le ciel bleu sans nuages de ses petits yeux bridés.

11

Après cette histoire, Lame Bull ne sourit plus tellement, du moins plus de manière aussi systématique. D'abord, sa main s'était infectée ; ensuite, il avait décrété qu'il ne convenait pas à un propriétaire terrien de sourire autant, car cela ne lui valait que des ennuis auprès des journaliers qui s'imaginaient pouvoir faire n'importe quoi du moment que le patron souriait.

« Il y a encore un truc avec ces Indiens. »

Il hocha gravement la tête.

Ferdinand Horn hocha gravement la tête.

« Ils deviennent bien trop retors pour leur propre bien. »

La femme de Ferdinand Horn hocha gravement la tête.

« D'un autre côté, où est-ce qu'on serait sans Long Knive ? C'est pas un mauvais travailleur et c'était un champion de rodéo. »

Le rocking-chair grinça dans le séjour.

« Bon dieu, t'aurais vu ce chapeau s'envoler ! »

Lame Bull eut un sourire.

Je souris à mon tour.

Ferdinand Horn sourit. Sa femme sourit. Mais pas Teresa – elle détestait les bagarres.

« Ouaip. » Ferdinand Horn se tourna vers moi. « J'ai vu ta femme à Malta aujourd'hui.

– Quelle femme, Ferdinand ?

– Quelle femme... non, non, c'était bien elle. Elle prenait du bon temps. »

Il sourit de nouveau.

« J'ai nettoyé le pick-up – j'ai cru une seconde que sa tête était encore dedans. »

Lame Bull saisit une des bouteilles de bière et se versa un autre verre.

« Ses frères étaient là ?

– Juste un – le petit...

– Waouh ! Pour ça, ils prenaient du bon temps », dit la femme de Ferdinand Horn.

Ses petits yeux marron brillaient derrière ses lunettes à monture turquoise.

« Je ferais peut-être bien d'aller la chercher. »

Je jetai un coup d'œil à Teresa.

« Oh ! elle sait très bien prendre soin d'elle-même. Du moins, c'est ce que pense cet homme blanc... »

Elle aussi regarda Teresa.

« Enfin, c'est pas un mauvais type ce Long Knive, poursuivit Lame Bull.

– Celui avec qui elle était dans la voiture. Son frère était à l'arrière, mais ça ne semblait pas les déranger. »

Elle but une gorgée de vin.

Lame Bull avait le bras en écharpe, coupée dans une chemise écossaise. Plus il buvait, plus l'écharpe tirait sur son cou, au point qu'il parlait carrément au plancher. Et plus il parlait au plancher, plus il hochait la tête. Comme si le plancher lui répondait par des mots graves qui nécessitaient de graves hochements de tête. Teresa, assise à côté de lui, contemplait sa main bandée.

« Je crois que je devrais aller la chercher, dis-je.

– Si seulement il apprenait à fermer sa gueule, je ne me serais pas esquinté les jointures...

– C'est dur de nos jours de trouver de bons ouvriers, dit Ferdinand Horn. On tombe toujours sur ces trous-du-cul qui veulent pas bosser. »

Sa femme se tamponna le nez avec un mouchoir rose

qu'elle glissa ensuite dans sa manche. « C'est vrai – avec ton personnel. » Lame Bull, le propriétaire terrien, l'impressionnait.

Le propriétaire terrien hocha la tête vers le plancher.

Le rocking-chair grinça trois fois.

« Ça va, maman ? » cria Teresa en direction du séjour.

Je me calai dans ma chaise près du réfrigérateur. On étouffait – même les mouches sur les rebords des fenêtres paraissaient écrasées de chaleur. L'une d'elles pataugeait dans une flaque de vin sur la table. Derrière elle, une rangée de bouteilles luisait dans la pénombre de la cuisine. Je me grattai le genou.

« Tu vas aller la chercher ? » demanda Teresa.

Elle portait un pantalon, une chemise de cow-boy, des chaussettes et des tennis blanches. Ses cheveux ramenés en arrière en une ample queue de cheval lui dégageaient le front. Elle n'avait jamais été jolie, mais elle embellissait chaque année – First Raise avait été le premier à le remarquer. Cela nous étonnait tous, même Teresa, mais elle l'acceptait sans se poser de questions. Son visage demeurait lisse ; la peau au-dessus de l'arête de son nez demeurait satinée et tendue ; ses cheveux demeuraient noirs, avec des reflets bleus dans le soleil. C'était peut-être parce que son apparence ne changeait presque pas qu'elle était devenue belle. Son corps, bien que lourd depuis toujours, ne tournait pas à l'obèse. Ses jointures n'étaient pas noueuses, encore que noircies par des années d'exposition au soleil et par la terre du jardin, et ses ongles étaient encore longs et fins, légèrement recourbés à leur extrémité. À moins que ce ne soient ses yeux qui la rendaient belle. Ils semblaient de plus en plus sombres et brillants à mesure que les années passaient.

Ferdinand Horn se leva, vida son verre, puis sortit pisser.

Lame Bull hocha gravement la tête à l'intention du plancher.

La mouche atteignit l'autre côté de la flaque de vin. Elle se nettoya la tête à l'aide de ses pattes de devant, puis les ailes à l'aide de celles de derrière. Elle se frotta les pattes, et s'effondra. Un bourdonnement emplit la pièce tandis qu'elle s'agitait sur le dos. Une autre mouche se cogna au carreau près de l'évier, puis tomba sur l'appui de la fenêtre. Lame Bull resservit la femme de Ferdinand Horn. Elle poussa un cri quand le vin, débordant du verre, coula et tacha les papillons sur sa robe imprimée toute froissée. Elle me sourit, le regard luisant derrière ses lunettes à monture turquoise. « Tu vas aller la chercher ? »

Je hochai gravement la tête à l'intention du plancher.

Lame Bull partit d'un grand rire et s'écroula à la renverse dans sa chaise.

12

C'était une Cree et elle ne valait pas grand-chose. Même pas la peine que j'aille la chercher. Ma grand-mère, avant de cesser de parler, me disait que les Crees ne se préoccupaient de personne sinon d'eux-mêmes. Ils buvaient trop et se bagarraient avec les autres Indiens dans les bars, mais ils n'avaient jamais combattu sur les champs de bataille. Elle me disait qu'ils ne se montraient bienveillants qu'à l'égard des hommes blancs qui venaient massacrer les Indiens. Ils avaient servi d'éclaireurs aux soldats à cheval et appris à vivre comme eux, à boire avec eux, et les filles avaient ouvert leurs cuisses aux Longs Couteaux. Pour la vieille femme, les enfants de ces unions étaient doublement maudits. Elle restait donc assise dans son rocking-chair, et élaborait des plans afin de supprimer la fille que l'on prenait pour ma femme.

Allongé sur mon lit, j'écoutais la vieille ronfler dans le séjour. Elle dormait sur un lit de camp à côté du poêle à pétrole. Trois couvertures de l'armée et un édredon décoré d'étoiles réchauffaient ses os frêles.

Bien que presque centenaire, presque aveugle et tout à fait édentée, elle désirait tuer cette fille pour venger les crimes commis par des générations de Crees. Ses mains, petites et noires comme des pattes de pie, reposaient, inertes, sur ses genoux, les paumes tournées vers le haut, tandis qu'elle passait ses journées à se balancer dans la pièce brillamment éclairée – seuls bougeaient ses pieds qui prenaient appui au sol afin d'envoyer grincer le fauteuil en arrière, en avant, puis de nouveau en arrière. La fille eût-elle imaginé sa vie en danger, elle aurait ri de voir ma mère soutenir ce corps chétif au-dessus du bassin, d'entendre couler le mince filet d'une vieillarde qui pousse un soupir de soulagement.

Cette femme, la mère de Teresa, m'avait raconté nombre d'histoires de sa vie passée. Mon frère Mose vivait encore ce soir d'hiver, alors que nous étions installés par terre devant son rocking-chair, où cette femme qui était de notre propre sang nous parla d'une existence que nous ignorions. Elle nous parla de son mari, Standing Bear, un Blackfeet (comme elle) des plaines à l'ouest d'ici, au pied des Rocheuses. Elle était à peine adolescente quand Standing Bear l'avait achetée à son père, un homme d'une certaine renommée, un homme avec beaucoup de cicatrices et beaucoup de chevaux, pour deux poneys et trois couvertures, un prix dérisoire, expliqua-t-elle, parce que son père avait déjà cédé quatre de ses filles. L'une d'elles était la deuxième épouse de Standing Bear, et elle devint donc la troisième, prenant place entre les deux autres et leurs filles. Les fils, eux, s'asseyaient de l'autre côté. Quand des invités venaient manger, elle se trouvait reléguée encore plus loin de lui, mais elle était contente d'être l'épouse d'un tel homme. Elle dormait parfois avec lui, bien qu'il eût près de trente ans de plus qu'elle. Ces nuits-là, sous les couvertures de laine, elle se nichait contre son large corps et lui chantait doucement à l'oreille. Il se montrait bon, tendre et, comme son père à elle, c'était un chef. Elle chantait pour lui.

Quand les Longs Couteaux envahirent les plaines non loin des montagnes, ce ne fut pas une surprise. On démonta les campements, et les mâts des tipis servirent de cadres aux travois qui transportaient les provisions, les meubles et les vieux. Les chiens haletaient à côté des chevaux, et cherchaient à profiter du peu d'ombre que ceux-ci projetaient. Les femmes et les enfants marchaient des heures et des heures au milieu de l'armoise, dans la chaleur et dans la poussière que soulevaient les travois, tandis qu'une petite bande de guerriers chevauchaient devant.

Fish les avait avertis. Fish, l'homme-médecine. Les Longs Couteaux vont bientôt venir, avait-il prédit, car maintenant que les saisons changent, il y a une odeur d'acier dans l'air. Et en effet, une semaine plus tard, les soldats arrivèrent, mais le camp était abandonné ; on avait tout emporté, et laissé pour seules traces de l'existence d'une communauté les cercles faits par les tipis et les feux ainsi que quelques morceaux de bois, restes des supports sur lesquels on mettait la viande à sécher. Ce fut un spectacle de désolation qui accueillit les soldats.

Cela se passait à l'automne. Selon notre grand-mère, deux bandes s'étaient regroupées sur le site d'un campement près d'un cours d'eau qui serpentait, bordé de bouquets de saules et de grands pins, et que l'on connaîtrait par la suite sous le nom de Little Badger. Au sud, Heart Butte pouvait servir de poste d'observation et de forteresse en cas de nécessité, et à l'ouest s'élevaient les hautes montagnes avec leurs sommets couronnés de neige et leurs faces de granite au-dessus de la forêt.

Les deux bandes avaient décidé d'hiverner ensemble et de s'installer dans l'attente des premiers vents du nord. Les journées demeuraient chaudes, mais les nuits se faisaient plus fraîches. Des feux parsemaient le campement, et assis au centre, autour des flammes, les hommes parlaient et jouaient aux bâtons jusque tard dans la nuit. Une fête célébra leur réunion, et trois jours durant, notre grand-mère, alors une jeune fille, gémit en compagnie des autres femmes autour des chasseurs qui couraient. Lorsque les hommes se reposaient, elle dansait la danse du hibou et lançait les os avec les autres filles. Un nuage de poussière planait au-dessus du camp et ne se dissipait qu'aux premières heures de l'aube.

C'est au matin du troisième jour que Fish délivra sa prophétie. Une semaine plus tard, les éclaireurs dévalaient la pente de Heart Butte, leurs chevaux écumant et soufflant.

Lorsque la vieille femme nous avait raconté cette histoire, des années auparavant, ses yeux n'étaient pas voilés et inexpressifs, mais noirs comme le ventre d'une araignée, et ses petites mains noires dessinaient dans l'air des symboles de triomphe.

Les deux bandes se séparèrent. Celle de Heavy Runner partit vers le nord et suivit le versant est des montagnes jusqu'au Canada. Les gens de Standing Bear longèrent Little Badger, puis Birch Creek en direction de Marias River qui sinuait à travers les plaines brûlées et desséchées avant de virer au sud pour rejoindre le Missouri. Ils voyagèrent à l'est et légèrement au nord par rapport au soleil du matin, puis dressèrent leur camp dans les montagnes de Bear Paw. De là, ils gagnèrent par le nord la vallée de la Milk River où ils passèrent l'un des plus terribles hivers que la vieille femme eût connus. Beaucoup moururent de faim cet hiver-là. Standing Bear lui-même périt au cours d'un raid malheureux contre les Gros-Ventres qui occupaient eux aussi la vallée. Quand les survivants ramenèrent son cheval, le fils aîné le tua et la famille se nourrit de sa viande pendant de nombreux jours. Ils avaient abattu le cheval parce que Standing Bear en aurait besoin dans l'autre monde; ils le mangèrent parce qu'ils étaient affamés.

Ma grand-mère n'avait pas vingt ans lorsqu'elle devint veuve. Avec gravité – et nous n'avions aucune raison de douter de sa parole – elle nous raconta qu'elle avait été jolie, mince, dotée d'une peau brune et lisse et de longs cheveux graissés qui brillaient telles les ailes d'un corbeau. Mais comme elle était la veuve de Standing Bear, un grand chef, les jeunes gens, intimidés, la fuyaient et les femmes la traitaient en paria. Elle possédait une beauté sombre, ce que les femmes lui enviaient, même si elles riaient de son corps élancé et stérile, elle qui n'avait dormi avec Standing Bear que pour lui murmurer ses chansons.

Et maintenant, elle ronflait sur son lit étroit de l'autre côté du mur. La maison baignait dans l'ombre d'une lune ronde. Quelque part dans la vallée, trois ou quatre coyotes se mirent à pousser de brefs aboiements aigus pareils à ceux de chiots. Un coup de vent fit claquer le store contre la fenêtre. Nu sous le drap, je songeai à toutes ces nuits où j'étais resté éveillé à écouter les coyotes, les grillons, les bruits nocturnes de la vieille femme et les battements de mon propre cœur.

Ces nuits-là, je n'arrivais jamais à me souvenir du visage de mon grand-père, et pourtant, j'avais déjà quatre ans au moment de sa mort. La vieille ne parlait jamais de lui, peut-être par crainte que l'image de Standing Bear ne s'efface de ma mémoire. En tout cas, elle demeura veuve pendant vingt-cinq ans avant de rencontrer une espèce de vagabond, un métis du nom de Doagie, celui qui avait probablement construit cette maison où ronflait à présent la vieille femme et où, étendu dans le noir, je me disais que je ne me rappelais pas à quoi il ressemblait. Ils avaient vécu ensemble, cette fille et épouse de chef, et ce minable sang-mêlé, mais je devais apprendre qu'ils ne se marièrent jamais et ne firent que se supporter. Teresa était leur seul enfant. Et encore doutait-on que Doagie en fût le père. Celle de qui je tenais ces informations m'avait fait signe que non.

Un sourd grondement interrompit le cours de mes pensées. Je me redressai et regardai autour de moi dans la chambre plongée dans l'obscurité. Au temps de ma jeunesse, je la partageais avec Mose, sa collection de timbres et son bocal rempli de pièces de monnaie. Dans un coin, contre le mur, je devinais la masse du grand buffet aux portes vitrées. Ses étagères renfermaient les souvenirs d'une enfance, de deux enfances, de deux frères, dont l'un disparu et l'autre dépositaire de sa mémoire. Des souvenirs. Je me glissai à bas du lit et me dirigeai vers le buffet sur la pointe des pieds. Deux œufs de cane bruns reposaient dans un nid de paille à côté d'albums de timbres et, sur l'étagère du dessous, un couteau de poche rouillé que nous avions trouvé dans une tombe indienne semblait désigner avec solennité un crâne de blaireau. Des douilles de différents calibres, soigneusement disposées, formaient un cercle parfait, entourées d'un autre cercle constitué de pointes de flèches. Au centre, un soldat de plomb en uniforme vert, le visage tordu par une grimace de colère, brandissait un fusil au-dessus de sa tête.

Un autre grondement, plus proche cette fois, ébranla les portes vitrées. Le bocal ayant contenu les pièces de monnaie était toujours là. Je le pris et m'accoudai à la fenêtre. Au clair de lune, je parvins à déchiffrer le message écrit à l'encre sur un morceau de ruban adhésif : « NE PAS TOUCHER ! C'EST À TOI QUE JE M'ADRESSE ! M. » Je reposai le bocal vide, puis je traversai le séjour où dormait la vieille sur son lit de camp et je sortis par la cuisine. Je pissai sur une touffe de mauvaises herbes. Le vent apportait une lourde odeur de sauge. Le haut des nuages d'orage brillait d'un éclat argenté sous la lune. À l'ouest, les ténèbres étaient déchirées d'éclairs qui zébraient l'horizon. À l'est, dans la vallée, je distinguais les silhouettes des peupliers qui marquaient le cours sinueux du fleuve. Les coyotes n'aboyaient plus. Il allait pleuvoir.

13

Hier soir, Lame Bull avait décidé de me conduire à Dodson. De là, je pourrais prendre le bus pour Malta. On partit de bonne heure, avant que le marécage n'ait eu le temps d'absorber assez de pluie pour devenir impraticable. Le pick-up tressautait et dérapait sur la terre qui s'amollissait cependant que la pluie fouettait le pare-brise. De mon côté, l'essuie-glace manquait, et le panorama faisait une masse brune et floue sur fond gris. Des taches de vert venaient parfois rompre cette monotonie, informes et fugitives. J'avais mis un bout de carton à la place de ma vitre – celle-ci était tombée en ville une nuit de l'hiver précédent – pour empêcher les gouttes d'entrer. J'aurais presque cru me trouver à bord d'un sous-marin. Enfin, on grimpa à toute allure le talus qui menait à la route, et je pus apercevoir le ruban noir rectiligne qui s'enfonçait au cœur du paysage tanné.

« Ça s'annonce plutôt bien, hein ? »

Lame Bull parlait de la pluie et de son effet bénéfique sur les nouvelles pousses de luzerne.

« Pas mal, dis-je. »

Je ne voulais même pas penser à l'idée de foins, pas après toutes les peines que nous avions eues avec le dernier champ.

« Tu sais. » Il se pencha sur le volant. « Je crois qu'il va nous falloir une autre bagnole, l'essuie-glace commence à s'essouffler sur celle-là. »

On passa devant les champs d'Emily Short, les meilleurs de la vallée. Ils avaient été nivelés par une équipe de défrichement de l'Agence. Emily appartenait au conseil tribal.

« Regarde! »

Lame Bull ralentit.

Par sa vitre, je vis une silhouette en noir qui creusait une rigole d'écoulement dans l'un des petits canaux d'irrigation. Image de solitude – l'homme au milieu du champ vert, les collines autour et le ciel gris au-dessus. Son cheval se tenait immobile, pitoyable, transi de froid, une jambe arrière levée, les autres plongées dans la boue jusqu'aux boulets.

« Pauvre type... »

En arrivant à Dodson, on fila droit chez Wally. Lame Bull me paya un whisky, puis il me fit un chèque de trente dollars. Le barman l'encaissa et resservit une tournée, avec un verre pour lui, dont il déduisit le montant de l'argent du chèque.

Par habitude, je décidai d'aller voir si j'avais du courrier. Comme je me hâtais sous la pluie, ma jambe se mit à me faire mal – pas trop, juste une pression sourde autour du genou. Malgré deux opérations, la raideur n'avait pas disparu, ni la douleur qui annonçait des contrariétés sans fin aussi sûrement que Teresa annonçait les orages avec son eau bénite.

L'intérieur du bureau de poste était sombre, lambrissé d'acajou; les rangées de boîtes reflétaient la grisaille au-delà de la large fenêtre qui portait une inscription en lettres dorées et donnait sur l'unique rue de la ville. Je tournai les cadrans et composai les numéros que je connaissais depuis mon enfance. Mose et moi, nous nous bagarrions à chaque fois pour être le premier à ouvrir. Il y avait une lettre pour Teresa, du prêtre de Harlem, une enveloppe d'un blanc immaculé avec, dans le coin, son nom gravé en caractères argentés. Je me préparai à la remettre, mais à la réflexion, ou plus vraisemblablement sans même réfléchir, je la fourrai dans la poche de mon blouson Levi's. En sortant, je jetai un coup d'œil aux affiches sur lesquelles les hommes recherchés par la police semblaient vouloir percer du regard la pénombre de la salle. C'étaient les mêmes visages dont je me souvenais après tant d'années. Seuls les noms avaient changé.

Je bus un autre whisky en compagnie de Lame Bull. Je pensai aux heures que mon père avait passées ici, à plaisanter avec les hommes blancs, des fermiers venus du Nord, des éleveurs de bétail en route pour l'Est, des employés du silo à grain – de simples connaissances ; ils me payaient des bières en ces rares occasions où First Raise me traînait dans le bar. Mais c'étaient des étrangers – d'une certaine manière, leurs existences paraissaient plus réglées ; ils buvaient beaucoup mais partaient de bonne heure pour être au travail le lendemain matin, tandis que First Raise...

Aujourd'hui, c'était désert ; il n'y avait que le barman et nous. Je pris congé de Lame Bull et j'allai attendre le car. Puis je revins sur mes pas et entrai au drugstore acheter une brosse à dents.

14

Le car avait deux heures de retard. Le chauffeur, un petit homme avec des touffes de poils noirs qui lui sortaient des oreilles, prit mon argent, puis s'installa devant un café. Je ramassai mon sac en papier, qui contenait des sous-vêtements propres, des chaussettes et une chemise de rechange, et je me dirigeai vers le car. Bien qu'on fût au début de l'après-midi, il faisait presque nuit. Je m'assis en face d'une jeune femme et j'écoutai la pluie tambouriner sur le toit. Le chauffeur monta, ferma la porte et annonça le départ pour Malta. Je regardai les jambes blanches de la femme et je tentai d'imaginer à quoi elle ressemblait sous son imperméable violet, mais je m'endormis.

Deux heures plus tard, on arrivait à Malta. Je glissai mon sac sous mon blouson et courus jusque chez Minough. Dougie, le frère de ma Cree, était au bar. À côté de lui, un homme blanc à la carrure imposante somnolait, la tête sur ses avant-bras criblés de taches de rousseur, le chapeau repoussé en arrière presque à hauteur des épaules. Une cigarette se consumait dans le cendrier à quelques centimètres de ses cheveux roux et frisés.

Je posai le sac sur une table derrière moi.

« Je cherche ta sœur, dis-je.

– Ah, bon ?

– Pour une affaire personnelle.

– Ah, bon ? » Dougie tira un peigne de la poche de sa

chemise et souffla les quelques pellicules collées dessus. « Et qu'est-ce que tu feras quand tu l'auras trouvée ?

– Disons que ça dépendra d'elle.

– Tu vas lui foutre une trempe ? »

Il se passa le peigne dans les cheveux, puis rectifia le cran du plat de la main.

« Je ne sais pas, peut-être... »

Je m'efforçai de ne pas élever la voix.

« Qu'est-ce qu'elle t'a fait ?

– Elle a pris des trucs qui ne lui appartenaient pas vraiment », marmonnai-je.

Il éclata de rire.

« C'est bien d'elle, c'est comme ça qu'elle opère... » Il me donna une bourrade. « Mon vieux, t'as de la chance qu'elle t'ait laissé les couilles – tu les as encore ? » Il plongea la main vers mon entrejambe. Je me reculai en tressaillant. Il se pencha vers moi et reprit dans un murmure : « Tu vois ce type ?

– C'est celui avec qui elle est ?

– Il a une grosse Buick de frimeur.

– Où est ta sœur ?

– Aide-moi à le ramener aux chiottes qu'on voie combien il a de fric sur lui. Je te dis, il conduit une Buick.

– Conduisait, plutôt – elle lui a probablement piquée.

– Mais non, elle est garée juste devant – on s'est trimbalés dedans toute la journée. Viens, file-moi un coup de main.

– Après, tu me diras où elle est ?

– Ouais.

– Et s'il se réveille ?

– Tu parles, ce mec est tellement bourré qu'il ne se rendrait même pas compte si une vache lui pissait dans l'œil. »

On traîna le type dans les toilettes. Il mesurait une tête de plus que moi. Dougie paraissait perdu sous son autre aisselle, mais il avait déjà le portefeuille à la main. On l'installa sur le siège.

« Il y a combien dedans ? demandai-je.

– Rien. Cette putain de saloperie est vide. »

Mais je le vis glisser à la dérobée une liasse de billets dans sa poche.

« Hé ! Une seconde ! Donne-m'en un peu.

– Mon cul ! Je devais te dire où était ma sœur, c'est tout. Il n'a jamais été question d'argent. »

Il se tourna pour pisser dans l'urinoir.

« Mais je ne croyais pas qu'on trouverait quelque chose, dis-je d'un ton geignard. Et puis, ce serait une compensation pour ce que ta sœur m'a volé.

– Merde, je ne suis pas son gardien.

– Mais mon fusil à lui seul...

– Dis donc, tu veux savoir où est ma sœur, oui ou non ? »

Il reboutonna son pantalon d'un air indigné.

À cet instant, l'homme blanc bascula et se cogna la tête contre le lavabo. Il s'effondra au sol, et son chapeau tomba dans la cuvette.

« On ne dessoûle pas depuis pratiquement une semaine. »

Et avec un grand sourire, Dougie quitta les lieux.

Je baissai le regard sur le visage blême de l'homme endormi ou peut-être évanoui. Ses cheveux roux juraient curieusement parmi tout ce blanc. Je lui mis son chapeau sur les yeux pour les protéger de l'éclat aveuglant.

Dougie n'était pas dans la salle. Je me précipitai vers la porte et examinai la rue. En vain. Une grosse Buick jaune était garée le long du trottoir, sale et couverte de boue, sauf à l'endroit des arcs de cercle balayés par les essuie-glaces.

Bien que me doutant que ce serait inutile, je le cherchai dans tous les bars et les cafés de la ville, et même à l'hôtel et au cinéma. Je payai soixante-quinze *cents* pour arpenter l'allée jusqu'à ce que le placeur, un jeune homme chauve, me dise soit de m'asseoir soit de sortir. Hébété, je m'assis et contemplai l'écran, mais tout semblait dénué de sens. Je reconnus Doris Day. Elle était ivre et avait l'orteil coincé dans une bouteille. Puis je me rappelai la Buick. Je me précipitai chez Minough, mais la voiture avait disparu.

Il continuait à pleuvoir. Mes épaules se courbaient sous le poids de mon blouson trempé et ma jambe me faisait mal. Dans la lumière grise du crépuscule, le trottoir luisait sous l'enseigne au néon du bar.

15

« On n'y peut rien, déclara l'inconnu en écrasant à petits coups son cigare dans le cendrier. Ça se produit tout le temps – vous êtes loin d'être le seul. Ça m'est arrivé des tas de fois. »

Nous étions au bar du Grand Salon qui communiquait avec l'hôtel Regent's Roost. L'homme venait de New York. Il m'avait montré ses cartes de crédit pour me prouver qu'il ne racontait pas de blagues.

« Tenez, prenez mon cas, par exemple – est-ce que j'ai l'air de quelqu'un qui abandonne une femme et deux filles plus jolie l'une que l'autre ? D'après vos critères, j'étais un homme riche !

– À moi, vous me semblez toujours l'être », dis-je.

Et je ne mentais pas. Il portait un de ces ensembles kaki qu'apprécient les amateurs de safari. Je repensai à McLeod et à Henderson dans *Sports Afield*. Son costume était impeccable, et un foulard à fleurs ornait son cou.

« Ça, c'est une autre histoire... ce sont vos problèmes à vous qu'on s'efforce de résoudre.

– Mes problèmes ?

– Si, si. »

Le seul problème que je me connaissais, c'était d'essayer de ne pas croiser le chemin de l'homme que j'avais aidé à dévaliser. Et seul ce problème-là me paraissait encore clair. Les autres s'étaient évanouis.

«Le hasard, le pur hasard – j'étais en route pour le Moyen-Orient, je tenais mes billets à la main...»

Je vidai ma bière et désignai la bouteille vide.

«Barman! Alors, déjà presque dans l'avion et tout, je fais demi-tour, je déchire mon billet devant elle...»

Mon blouson séchait sur le tabouret à côté de moi. Je ne tremblais plus depuis quelques heures, depuis qu'il m'avait payé ma première bière accompagnée d'un whisky. Je m'étais senti un peu gêné en entrant ici, mais le deuxième verre avait remédié à cela. Et maintenant, la peur de prendre une correction et même celle de me faire tuer s'estompait. J'allumai l'un des cigares alignés sur le comptoir.

«... je prends mon équipement de pêche et je saute dans ma voiture!

– Vous n'attraperez pas grand-chose ici, dis-je.

– Quoi? Des poissons?

– Vous n'attraperez pas grand-chose ici.

– J'en ai pêché des masses hier.

– Il n'y a pas de poissons dans le coin.

– Des brochets – trois de plus de cinq livres. Et un gros dans le Minnesota qui en pesait plus de trente.

– C'était dans le Minnesota. Pas ici. Ici, vous pourriez encore vous estimer heureux d'attraper un rhume.

– Et aussi quelques jolies petites truites arc-en-ciel. Juste la taille de la poêle.

– Il n'y a pas de truites.»

Il me regarda. C'était un homme gros, mou et sain, comme un bébé. Il coiffait ses cheveux gris en arrière, si bien que son nez veiné de rouge semblait trop grand pour son visage.

«Je vais vous dire.» Il s'étrangla de rire dans sa main. «Demain je vous amène avec moi, et si on ne pêche aucun poisson, je vous paye le plus gros steak de – où on est déjà? – ah, oui, de Malta! Vous avez une canne?

– À la maison – mais c'est à cinquante miles.

– Aucune importance. J'ai une canne de lancer que je peux vous prêter. Et puis, je pêcherai à la mouche et si je ne prends pas plus de poissons que vous, je vous laisse les deux équipements. Vous ne pouvez pas refuser! »

Je calculai la valeur que cela représentait.

« Et si personne n'attrape quoi que ce soit?

– Je vous offre le plus gros steak de ce patelin.

– Il n'y a pas le moindre poisson dans cette rivière, affirmai-je, sûr de moi. Même pas de menu fretin.

– Merde... » Il adressa un clin d'œil au barman qui écoutait la conversation, puis commanda une autre bière et un whisky pour moi, et un double scotch pour lui. « Prenez-en un pour vous », ajouta-t-il à l'intention du barman.

Deux hommes en costume franchirent la porte. Puis, comme s'ils s'apercevaient qu'ils se trompaient d'endroit, ils hésitèrent. Après une courte conversation, ils s'avancèrent vers le bar, l'air de deux vaches sur du verglas, cependant que leurs yeux s'accoutumaient à la faible lumière dispensée par les lampes bleues du plafond. Quand ils passèrent devant moi, je perçus l'odeur de laine mouillée de leurs costumes. L'un d'eux eut un petit rire nerveux.

Le barman les suivit au bout du comptoir comme s'il les surveillait. Il était maigre. Avec sa veste rouge et ses cordons de cravate noirs, il ressemblait à un joueur professionnel de western. En réalité, il connaissait les résultats des matches de base-ball et avait même été une fois à New York.

À quelques pas de moi, une serveuse s'appuyait sur son plateau. D'un doigt, elle remuait les glaçons de son Coca en se contemplant dans la glace. Elle faisait des ronds de fumée, mais je ne voyais pas de cigarette près d'elle.

Les deux hommes s'installèrent à côté du type qui avait déchiré son billet d'avion.

« Qu'est-ce que vous en pensez – je leur demande ?

– Au sujet des poissons ?

– De quoi d'autre ? De quoi d'autre parlions-nous ? À moins que vous n'admettiez avoir fait une erreur ? »

Je secouai la tête. « Vous disiez que vous aviez pêché une masse de poissons aux yeux d'or ?

– J'ai dit ça ? Vous devez vous tromper – il n'y a pas d'yeux d'or dans cette rivière. Je n'ai même jamais entendu parler d'yeux d'or. » Il se tourna vers les hommes en costume. « Ce monsieur prétend qu'il n'y a pas de poissons par ici. »

Les deux costumes levèrent les yeux. L'un portait une cravate rouge.

« Il prétend qu'il n'y a pas de poissons par ici, répéta-t-il.

– Mais c'est faux, reprit premier costume. Il y a des brochets dans le réservoir au sud de la ville. L'autre jour, j'ai fait de très belles prises.

– Dans le réservoir au sud de la ville, confirma second costume.

– Ah ! vous voyez ! s'exclama l'homme qui avait déchiré son billet d'avion.

– Mais pas dans la rivière. Elle est trop boueuse et les poissons ne peuvent pas voir l'appât.

– C'est faux ! L'eau est claire et fraîche, et les poissons sont bien fermes.

– Parfaitement, acquiesça second costume. Tenez, l'autre jour, ma femme et sa copine ont pêché dans la rivière, et elles m'ont bien dit que l'eau était claire et fraîche.

– J'ai souvent remarqué la limpidité de l'eau. Elle n'est pas boueuse comme celle du réservoir au sud de la ville. »

Premier costume trempa les lèvres dans son verre. Il pêcha une cerise et la grignota.

« Peu importe – il n'y a pas de poissons.

– Dans le réservoir ? demandai-je.

– Bon dieu, non ! répondit l'homme qui avait déchiré son billet d'avion. Dans la rivière à l'ouest d'ici. Le réservoir regorge de poissons-lunes. »

Second costume ayant vidé son verre, il en commanda un autre. Il le leva devant le miroir et déclara :

« Je ne comprends pas les gens du coin.

– Moi non plus, dit l'homme qui avait déchiré son billet d'avion. Bon dieu – ça vous donne le frisson. »

Je commençais à ressentir les effets du mélange bière-whisky. Je m'adressai un clin d'œil dans la glace et la serveuse, qui venait de reprendre sa place, me dévisagea.

« Je ne comprends pas les gens du coin – comme ce type là-bas. »

Je désignai second costume au bout du bar. Il tripotait un appareil photo.

« Je ne sais pas – je suis nouvelle ici. »

La barmaid souffla des ronds de fumée. Je ne voyais toujours pas de cigarette à côté d'elle.

« Un instant, un petit instant. » Le regard de l'homme qui avait déchiré son billet d'avion m'effleura et se posa sur la fille. « Je ne vous ai pas déjà vue quelque part ?

– Comment je le saurais ?

– Mais si, je vous ai déjà vue quelque part, ailleurs qu'ici. J'ai une mémoire en acier. » Il plissa les yeux. « Bismarck ? Dakota du Nord ? »

Elle secoua la tête.

« Minneapolis ?

Elle souffla un rond de fumée en direction du miroir.

« C'est bizarre. Vous êtes sûre que ce n'était pas à Chicago ?

– Je n'ai jamais été à Chicago. Je viens peut-être de la côte Ouest.

– Ça y est ! Seattle ! » Son coude me laboura la cage thoracique. « Ah ! vous voyez ?

– Seattle ? fis-je.

– Je ne voudrais pas être de Seattle pour tout l'or du monde. » Elle compta la monnaie sur son plateau. « Mais Portland, ce serait peut-être différent – il y a des roses là-bas.

– Ma mère cultive des belles-de-jour, dis-je.

– Los Angeles ?

– Je déteste les belles-de-jour. Je déteste tout ce qui se rapporte au jour.

– Mais c'est juste un nom. Elles fleurissent aussi le soir – même en pleine nuit je les sens devant ma fenêtre. Notre chat se couchait au milieu d'elles parce que c'était bien frais.

– Notre chat à nous a étouffé ma petite sœur. Un soir, il s'est couché sur sa figure, et elle ne pouvait plus respirer. Elle m'aurait ressemblé, sauf qu'elle avait une tache de vin là. » Elle pressa son doigt sur son cou, puis elle se pencha vers moi, toujours sans me regarder, et murmura : « C'est pour ça qu'il s'imagine me connaître. Il se souvient de la tache de vin de ma sœur.

– Mais pourquoi il ne se souvient pas de vous ?

– San Francisco ?

– Oh ! il finira par y arriver. Vous voyez bien qu'il essaye, non ?

– San Francisco ?

– Je dansais tout le temps. C'est pour ça qu'il ne se souvient pas de moi, parce que je dansais sans arrêt et que plus vite je dansais, moins il pouvait me voir.

– Mais il est de New York, dis-je.

– Il me payait. C'est pour ça que je le déteste. Il me payait un dollar pour que je danse pour lui. » Elle rit. « C'était si amusant de tourbillonner dans la pièce, de plus en plus vite, jusqu'à ce que je ne sois plus qu'une silhouette floue. C'est pour ça qu'il a oublié mon visage.

– San Francisco ? Santa Rosa ! Ma femme était de Santa Rosa mais elle est morte.

– Je pourrais lui dire qui je suis. Vous croyez que je devrais ?

– Non, répondis-je. Laissez-le deviner.

– Je suppose... mais ça risquerait de le mettre en colère. J'aurai appris une chose au sujet des hommes : on ne plaisante pas avec eux à moins de parler affaires. »

Elle saisit son plateau et se dirigea vers les boxes.

Les deux costumes la suivirent des yeux.

« Beau petit cul », dit le premier. Sa cravate rouge était sortie de sa veste.

« Oui, approuva le second. Je ne cracherais pas dessus.

– Oh, mais elle t'épuiserait. Ça se voit à ses hanches.

– Ma femme a des hanches comme ça et c'est pour ça que j'arrive encore à coucher avec elle.

– Ma femme aussi a des hanches comme ça, dis-je. Mais de plus petits seins.

– Les petits seins, c'est ce qu'il y a de mieux, dit second costume. Ma femme en a des gros et ils ne font que gêner. De toute façon, tout ce qu'on ne peut pas prendre dans la bouche, c'est du gaspillage.

– Ma femme a des seins qui lui pendent aux genoux et les bouts sont trop foncés.

– Les bouts roses sont de loin ce qu'il y a de mieux, dis-je.

– Ma femme est morte », dit l'homme qui avait déchiré son billet d'avion.

Le barman offrit une tournée aux frais de la maison et récita des scores de base-ball. L'homme de l'avion continuait à énumérer des noms de ville, mais la serveuse n'était plus là. Second costume jouait avec son appareil photo. Il l'avait ouvert et le film pendait au-dessus du comptoir.

Ma jambe était insensible, comme engourdie par les

bières et les whiskies. Au moins, elle ne me faisait pas mal.

Lorsque la serveuse revint, je regardai sa poitrine. Elle n'était pas aussi grosse que je l'aurais pensé ; son corsage blanc un peu trop serré la moulait et le bouton entre les seins menaçait de sauter.

L'homme de l'avion me désigna d'un geste du pouce :

« Ce type ne veut pas croire qu'il y a des yeux d'or dans la rivière.

– Bien sûr qu'il y en a, dit-elle. J'en ai attrapé sept ce matin même.

– Vous n'êtes pas sérieuse !

– Si, absolument. »

L'homme de l'avion lui lança un regard furieux. Il bondit soudain sur ses pieds en poussant un rugissement – je crus que premier costume lui avait planté un couteau dans le dos – puis il se rua sur elle, les bras tendus comme pour l'étreindre ou l'étrangler. Au dernier moment, il vacilla, heurta la porte, puis plongea dans la nuit.

La barmaid me sourit.

« Il pleut toujours.

– Vous auriez dû danser pour lui.

– Non. » Elle secoua tristement la tête. « Ça n'aurait pas été pareil. »

16

Je me réveillai le lendemain matin avec la gueule de bois. Hanté par les fantômes de la nuit précédente et de toutes les autres nuits, j'avais eu un sommeil agité, peuplé des hommes recherchés aux figures de singe, menottes aux poignets et les mains violacées. Ils ne regardaient pas mes yeux mais ma bouche, laquelle était sèche et dépourvue de mots. Ils semblaient s'apprêter à pratiquer une opération. Soudain une fille apparut devant mon visage, ouverte et vidée comme une truite arc-en-ciel bien grasse ; elle me supplia de la libérer, et alors mes tripes se déversèrent de ma bouche monstrueuse. Teresa, accrochée la tête en bas à la ceinture d'un de ces hommes, devenue ma propre ceinture, criait une série d'étranges avertissements à l'inconnu qui avait déchiré son billet d'avion et qui roulait maintenant dans le fumier du corral et lavait de temps en temps sa bite gigantesque dans un baquet d'eau. La truite éventrée se changea en la barmaid d'hier soir qui hurlait entre les mains concupiscentes des voyous. Teresa m'insultait avec différentes voix, et sa langue claquait contre son palais. Les hommes en costume la tâtaient et se livraient à des commentaires sur la fermeté de ses seins et la largeur de ses hanches. Ils lui écartèrent les jambes, de plus en plus, jusqu'à ce qu'Amos sorte en se dandinant, les plumes humides et luisantes, une patte orange repliée, et s'envole brusquement dans un éclair d'ailes blanches rabougries en direction d'un soleil terne. Les hommes recherchés par la police se jetaient sur la truite vidée et second costume prenait des photos d'une femme qui posait à côté d'un réservoir dans une lumière brune.

Je grimpais et la voix de Teresa retentissait dans ma tête. Ses paroles n'étaient pas claires, mais une image les accompagnait, celle d'un garçon à cheval qui dévalait une colline au grand galop en poussant des cris et en faisant claquer son chapeau contre sa cuisse. Un troupeau de bétail s'éparpillait devant lui, et certaines bêtes culbutaient, tandis que d'autres volaient, et toutes riaient. Le garçon portait d'épais vêtements pour se protéger du vent violent.

J'ignorais si je dormais ou non durant cette dernière scène, mais en tout cas, le garçon se transforma aussitôt en un plafond blafard. La pièce étouffante empestait l'alcool. Le soleil transperçait les rideaux blancs d'une fenêtre étroite. Par un jour en haut du carreau, j'apercevais le ciel, mais sans profondeur de champ, comme si la fenêtre elle-même était peinte en bleu mat.

Je jetai les jambes hors du lit, puis je m'assis et attendis que le mal de crâne se manifeste. Un bref élancement m'amena les larmes aux yeux, suivi d'un battement sourd qui me fit rentrer la tête dans les épaules. Je fermai les paupières, les rouvrit, puis les refermai – je ne parvenais pas à décider si je devais laisser la chambre être témoin de ma souffrance ou bien garder celle-ci pour moi. Je restai ainsi, luttant contre la nausée, pendant ce qui me parut deux ou trois heures, jusqu'à ce qu'une soif impérieuse m'oblige à me lever. Je bus longuement au robinet du lavabo, tandis que des coups sourds résonnaient dans ma tête, puis je me redressai et m'essuyai la bouche. Je m'agrippai au bord. Petit à petit, le martèlement diminua et je pus rouvrir les yeux. J'examinai mon visage. Il n'était pas trop moche – un peu bouffi, blême, mais pas cadavérique. J'imbibai d'eau froide une serviette et je me lavai la figure. J'avais le pantalon aux chevilles. Une chaussure et une chaussette blanche dépassaient, et au-dessus, on devait voir les cicatrices verticales de part et d'autre de mon genou gauche, ainsi que celle, plus profonde et plus large, couleur os blanchis, qui courait en diagonale. Gardant la tête levée, je me baissai et remontai mon pantalon avec précaution.

Ah! la chemise propre – mais je me rappelai soudain que j'avais oublié le sac en papier contenant mes affaires chez Minough. Et voilà, j'avais aidé Dougie à faucher le portefeuille de ce gros rouquin de cow-boy. Il devait probablement être déjà à ma recherche. Je me demandai s'il pourrait me reconnaître, ou bien s'il était trop soûl. À la réflexion, il devrait en être incapable ; après tout, il était ivre mort. Mais quelqu'un dans le bar aurait pu lui fournir une description ou même lui donner mon nom. Je n'arrivais pas à me souvenir s'il y avait ou non du monde dans la salle. Le barman, bien sûr. Comment expliquer que je n'étais venu à Malta que pour trouver une fille qui m'avait volé, moi, et que seul un concours de circonstances m'avait conduit à le voler, lui, ou du moins à essayer? Non, il ne comprendrait pas. Cette fille, la seule chose que nous ayons en commun, fera mon malheur, pas de doute...

Je maudis Dougie et sa sœur de m'avoir fourré dans un tel guêpier, je maudis l'homme blanc d'être un tel imbécile et je maudis ma chambre d'hôtel d'être un sanctuaire si minuscule sur une si vaste terre habitée d'hommes blancs qui me traquaient. Je maudis la perte de mes affaires, parce que mes dents me paraissaient comme couvertes de mousse et que ma chemise s'étalait toute froissée et pleine de taches sur le dessus-de-lit inondé de soleil.

Un coin du lit était défait. J'avais dû tenter d'y entrer

avant de sombrer dans l'inconscience. Les draps avaient l'air si propres et si frais, si blancs, que j'envisageai un instant de me déshabiller et de m'y glisser. Mais il était tard, le soleil se trouvait déjà trop haut.

Je mouillai mes cheveux et me coiffai avec les doigts. Puis j'enfilai mon blouson Levi's sur mon T-shirt – la chemise était immettable, j'avais probablement vomi dessus – et je quittai la chambre. Je longeai d'abord le couloir jusqu'aux toilettes, puis je pris l'escalier aux marches revêtues d'un tapis. L'employé de la réception ne leva pas les yeux. Un groupe de vieillards occupaient les canapés en skaï orange du hall. Deux vieux étaient penchés en avant, appuyés sur leurs cannes, alors que les autres épousaient l'arrondi affaissé des dossiers. Ils regardaient du base-ball à la télévision. Je m'empressai de passer devant eux, et je débouchai à la lumière. Excusez-moi, dit une femme.

17

On était samedi. Des enfants en jeans et T-shirts rayés couraient autour de moi, et les talons de leurs petites chaussures et de leurs petites bottes claquaient sur le trottoir. Leurs pères, dont certains sortaient de chez le coiffeur, se retrouvaient dans les bars et les cafés pour discuter des mêmes affaires dont ils avaient discuté le samedi d'avant et encore le samedi d'avant, tandis que leurs femmes faisaient les courses en prenant soin d'éviter les regards des jeunes en Levi's et chemises de cowboy à fleurs qui traînaient, appuyés contre le mur ou assis sur le capot d'une voiture, et qui parlaient filles et bagnoles. Les filles, elles, rectifiaient leur coiffure.

On était samedi, et je descendis la rue en plein soleil pour me diriger vers le bar près de la gare. Un homme aux cheveux laineux se tenait à côté de la caisse, absorbé à ôter les peluches de sa chemise noire. Il n'y avait que lui à l'intérieur.

« Qu'est-ce que je peux vous servir ? »

Je commandai un Coca et un paquet de chips, puis j'enlevai mon blouson. Le type continuait à ôter les peluches de sa chemise. Un chien entra, renifla le bas de mon pantalon, puis ressortit.

« Il va faire chaud aujourd'hui, c'est bon pour le commerce », dit l'homme sans lever les yeux. Il se tourna. « Comment est mon dos ?

– Pire que le devant, répondis-je.

– C'est bien ce que je craignais. » Il me regarda. « Vous êtes de la vallée, non ?

– Un peu après Dodson.

– La réserve ?

– Ouais.

– Vous êtes le petit à Teresa First Raise.

– J'ai trente-deux ans.

– Une sacrée fille, celle-là – une des filles les plus dynamiques que je connaisse.

– Elle est plus grande que vous, plus grande que vous et moi réunis.

– Amen – vous avez raison, bravo. » Il roula des yeux. « Et qu'est-ce qu'elle devient ces temps-ci ?

– Je crois que la dernière chose qu'elle a faite, c'est d'épouser Lame Bull.

– Non ! » Il abattit sa main sur le comptoir et roula de nouveau des yeux. « Sacrée fille...

– Ils se sont mariés il y a deux semaines. Ici même.

– Pas chez moi. » Il éclata de rire. « Pas dans mon bar.

– Non, dis-je en riant à mon tour. Au palais de justice. Mais je parie que s'ils étaient entrés chez vous ce jour-là, vous vous en souviendriez. »

Il s'arrêta de rire.

« Un type large, les cheveux broussailleux ?

– Attendez... » Je vis que son regard s'était durci. « Non, non, assez grand, les cheveux lissés, plutôt maigre. »

Le barman gratta sa tête laineuse.

« Non, ça ne me dit rien... mais par contre, je me rappelle ce type aux cheveux broussailleux. Il a voulu casser la gueule à un de mes meilleurs clients.

– Oh ! oui ! fis-je. Il est mauvais – je le connais, juste comme ça – surtout quand il a bu du vin.

– Qu'un type foute un peu le bordel, ça ne me gêne pas, mais qu'il commence à cogner sur mes clients... enfin, il faut bien fixer des limites, non ?

– Je ne le connais pas très bien, à peine vaguement. »

Un train démarra dans la gare voisine. La brusque secousse infligée aux attelages déclencha une petite explosion qui se propagea dans l'air matinal, suivie du crissement de l'acier.

« Dites, vous voulez bien me rendre un service ?

– Bien sûr, répondis-je.

– Il faut que j'aille faire pisser le petit frère – si quelqu'un vient, vous m'appelez.

– Bien sûr, dis-je. Comptez sur moi. »

Comptez sur moi ! Mais où se trouvait l'homme de l'avion – pour quelle destination s'était-il envolé ? Et sa femme et ses filles ? Est-ce qu'il avait réellement cru que la barmaid était sa fille ? Au fond de moi, j'éprouvais un certain malaise au sujet de cette serveuse, un sentiment de honte presque. Mais pourquoi, qu'est-ce que j'avais fait ? Je ne m'étais pas immiscé dans leur relation, je le savais, car il n'y avait rien entre eux – il venait de la côte Est et elle de la côte Ouest, ils ne pouvaient donc pas se connaître. Ou alors il s'agissait d'une plaisanterie, d'une blague qu'ils me faisaient – mais pourquoi ? Je n'étais rien pour personne. À moins que – c'est ça, j'avais tout imaginé dans mon ivresse. Ni l'un ni l'autre n'existaient, je ne me rappelais même pas – beau petit cul – ses hanches ou ses seins – le bouton qui menaçait de sauter. C'était dans mon rêve – toute cette histoire de poissons, des deux costumes, elle qui dansait – mais dans ce cas pourquoi ce sentiment, ce sentiment de...

C'était avant le rêve, ou dans la première partie du rêve – la chambre d'hôtel, la lampe, moi qui riais sur le lit, elle qui me regardait debout à côté, moi qui l'attirais, qui faisais sauter le bouton entre ses seins, qui me relevais, ouvrais le lit, le pantalon aux chevilles, elle qui ôtait une chaussure, qui riait, protestait, cherchait son...

J'essayai de m'éclaircir les idées, de chasser ces

images, de tout reprendre, mais je n'arrivais à me souvenir que du moment où je me trouvais seul sur le lit, la lumière dans les yeux – mais si, il fallait qu'elle soit montée dans la chambre avec moi.

Un client entra. Je ne me retournai pas, mais j'entendis le bruit de ses pas et le grincement du tabouret. Comme doté d'un sixième sens, le barman apparut au moment où j'ouvrais la bouche. En passant devant moi, il chassa une peluche de sa manche. Le soleil donnait sur la porte et zébrait ma main. Je bus une gorgée de Coca.

La brosse à dents, celle que j'avais achetée à Dodson! J'empoignai mon blouson à côté de moi et tâtai la poche. Non, j'avais dû la ranger dans le sac avec mes affaires disparues. Mais... je tirai de la poche une lettre toute froissée – celle adressée à Teresa par le prêtre de Harlem.

Teresa First Raise. Boîte postale 85. Dodson, Montana. L'écriture ressemblait à celle d'un enfant, à la fois timide et hardie, avec des caractères larges, solides, irréels. T-E-R-E-S-A. Ce nom n'appartenait pas à la femme qui était ma mère, mais à quelqu'un que je ne connaissais pas, à quelqu'un de si éloigné que l'homme sur le timbre me paraissait familier alors même que je ne parvenais pas à l'identifier.

Je voulais la lire, pour savoir ce qu'un prêtre pouvait dire à une femme qui était son amie. J'avais entendu parler de prêtres ayant des copains de beuverie, des copains de pêche, mais jamais des copains femmes. Je voulais la lire parce que cette femme était ma mère. Mais je ne voulais pas voir le nom de ma mère à l'intérieur de l'enveloppe, sur une lettre écrite par un homme blanc qui refusait d'enterrer les Indiens sur leur propre terre, qui refusait de mettre un pied dans la réserve. Je ressentis une vague satisfaction en déchirant la lettre entre mes jambes et en regardant les morceaux tomber au sol.

On était samedi. J'entendais le bruit des enfants qui

couraient sur le trottoir. La cliente, une femme en veste de peau à franges, s'avança vers le juke-box. Sa bouche et son nez fin brillèrent dans les lumières de l'appareil cependant qu'elle sélectionnait ses disques. Le barman, une jambe levée, appuyé contre la glacière contenant les bouteilles de bière, lisait *Popular Science*. Il m'aurait suffi de tendre la main pour toucher ses cheveux laineux.

DEUXIÈME PARTIE

18

Le vieux Bird tenta d'abord de me mordre, puis de me décocher une ruade tandis que je me glissais sous son ventre pour attacher la sangle. Sa jambe se détendit comme celle d'une dinde que l'on vient d'abattre et, déséquilibré, il vacilla et me manqua. Il fit une seconde tentative, celle-là plus prudente, et lorsque son sabot heurta le sol, j'en profitai pour fixer la sangle et la serrer. Dès qu'il sentit la pression contre ses flancs, il gonfla son ventre et se mit aussitôt à ressembler à une vache ballonnée. Il parut satisfait et mâchonna son mors. Il était très vieux. Je lui donnai un violent coup de coude dans les côtes, et l'air s'en échappa avec un bruit de forge ; surpris, il effectua comme un pas de danse. Le veau, très intéressé par le spectacle, se tenait près de la glissière. Lame Bull posa son menton sur ses bras croisés appuyés contre la barrière du corral et sourit.

Il faisait déjà chaud et je transpirais cependant que j'empoignais le pommeau de la selle et dirigeais l'étrier vers l'avant pour placer mon pied. Sentant mon poids sur son dos, Bird recula, tituba et faillit tomber. Puis le vieux cheval s'élança, sautillant comme un corbeau ; il se cabrait, ruait, bottait et stoppait net sans cesser d'écumer. Nous fîmes ainsi quatre fois le tour du corral et à chaque secousse, à l'instant où je reprenais lourdement contact avec la selle, mes dents s'entrechoquaient. Puis il se mit au galop, se précipitant droit sur les piquets de la barrière pour ne changer de direction qu'au dernier moment avant de repartir de plus belle. Chaque fois qu'on passait devant Lame Bull, je l'apercevais du coin de l'œil ; il riait à gorge déployée à la vue du grand cheval blanc et de son cavalier terrifié qui, les deux mains agrippées au pommeau, se penchait à contretemps lorsque sa monture tournait à droite ou à gauche. Le veau courait juste devant Bird et, affolé, lâchant bouse sur bouse, beuglait pour appeler sa mère, laquelle galopait de concert avec nous, mais de l'autre côté du corral.

Lame Bull finit par ouvrir le portail, puis il s'empressa de se garer comme veau, cheval et cavalier filaient devant lui pour franchir à toute allure l'étendue d'armoise entre la remise et le bras de la rivière. Les sabots de Bird soulevaient la poussière le long de la vallée de la Milk River. Le veau, qui avait bifurqué et s'était arrêté pile, secouait la tête, ne sachant s'il devait nous suivre ou bien retourner auprès de sa mère. Quand Bird se décida à ralentir pour adopter un trot saccadé, nous étions déjà au-delà du large canal d'irrigation. Il soufflait et ses flancs grondaient comme si un orage allait éclater dans son ventre. On atteignit la première barrière, et il se mit au pas pour essayer de brouter l'herbe qui poussait sur le bord de la route. Le tenant par la bride, je descendis ouvrir. Une couleuvre se faufila parmi les hautes herbes, mais il ne la vit pas.

On longea la barrière entre un champ de luzerne et un champ de pâturin. À travers les saules qui bordaient les berges du canal, je distinguais notre petite ferme blanche et la cabane devant laquelle Mose et moi tendions les peaux de rats musqués. Le vieux puits où l'on entreposait les légumes et où Teresa avait vu une vipère n'était plus qu'un petit monticule à côté du grenier. Une grue survola le coude de la rivière, flèche grise lancée en direction d'une cible lointaine.

Bird s'ébroua. Son souffle retrouvé, il marchait avec précaution, la tête dressée, ses yeux noirs fixés sur l'horizon. D'une claque, je chassai un taon de son encolure ; il ne se cabra pas ni ne parut même le remarquer.

« Déjà fatigué ? lançai-je. Mais tu es un vieux poney de guerre, tu es censé galoper des journées entières – en tout cas, c'est ce que tu voudrais nous faire croire. »

Il agita les oreilles comme sous le coup de l'irritation, et poursuivit son chemin à pas pesants.

Ma mauvaise jambe se rappelait à moi, conséquence des efforts auxquels j'avais dû consentir pour me maintenir sur le dos de Bird. Je descendis et desserrai sa sangle. Il lâcha un crottin tandis que je le conduisais le long de la barrière vers le canal d'irrigation. Le pont de bois était pourri. Par les trous des planches, on voyait glisser lentement l'eau trouble dont la surface était couverte d'insectes et d'herbes ondulantes. Bird renâcla. À force de paroles, de cajoleries et de menaces, je réussis à le faire traverser.

Devant nous se dressait une cabane de rondins et de boue séchée plantée dans le sol. Les rondins étaient fendus et décolorés, mais la boue encore foncée, comme si l'on venait à peine de l'appliquer. Il n'y avait pas de fenêtres, rien qu'une porte découpée dans la terre tassée contre les parois. Les herbes et les broussailles s'arrêtaient à une trentaine de mètres alentour et laissaient apparaître une croûte blanche et durcie qui ne cédait pas sous le pied. La rivière coulait à quelque distance de là entre des berges déchiquetées. Le vieil homme se tenait au bord. Comme nous approchions, il leva la tête avec toute la dignité d'un vieux chien humant le vent.

« Salut », fis-je. Le soleil se réfléchissait sur la bande de terre qui nous séparait. « Bonjour, Yellow Calf. »

Il ne portait pas de chaussures. Son pantalon de costume pochait aux genoux et était plein de taches de boue et de nourriture sur les cuisses et l'entrejambe, mais sa chemise, marron et munie de pressions en nacre, paraissait propre, et même repassée.

« Ça va ? » demandai-je.

Il avait l'air perdu.

« Je suis le fils de First Raise – je suis venu une fois avec lui.

– Ah ! Oui, bien sûr ! Tu n'étais qu'un mioche.

– C'était l'hiver, dis-je.

– Tu n'étais qu'un mioche. »

J'attachai Bird à la pompe et actionnai celle-ci pour remplir la cuvette émaillée installée sous le jet. « Mon père t'appelait Yellow Calf... » L'eau était brunâtre. Je donnai du mou à la bride de Bird et lui ôtai son mors. Celui-ci devait avoir un goût bizarre après tant d'années. « Et Teresa disait que tu étais mort. Je suppose que tu l'es et que tu ne le sais pas.

– Comment ça – mort ? » Il enfonça ses mains dans ses poches. « Des fois, je le voudrais... mais il n'y a pas de danger !

– Dans ce cas, on t'appelle toujours Yellow Calf.

– On m'appelle de beaucoup de noms, mais celui-là ira très bien. Certains m'appellent Bat Man parce qu'ils croient que je bois le sang de leur bétail pendant la nuit. »

J'éclatai de rire.

« Tu devrais être flatté, ça veut dire qu'ils ont peur de toi.

– Je n'ai pas besoin d'être flatté. Je suis vieux et je vis seul. Il faut des amis pour apprécier la flatterie.

– C'est donc que tu es un sage. Tu rejettes les amis et la flatterie. »

Il serra les poings dans ses poches et montra la cabane d'un signe de tête. « J'ai du café. »

C'est seulement quand il se mit en marche, les pieds semblant se déplacer en même temps sur le côté et en avant, que je m'aperçus qu'il était aveugle. Étrange que je ne m'en sois pas souvenu, mais peut-être qu'à l'époque il voyait encore.

Il agrippa le montant de la porte, puis s'effaça pour me laisser entrer. Il me suivit, ferma derrière lui, puis se ravisa. « Tu as besoin de lumière. »

L'intérieur de la cabane était propre et austère. Il y avait un lit de camp, une table de cuisine et deux chaises. Un petit poêle à bois occupait le mur du fond. Près du tuyau se trouvait un calendrier jauni. Arrêté à décembre 1936. Un buffet blanc complétait le mobilier. Yellow Calf circulait avec aisance parmi ses meubles. Il prit deux tasses dans le buffet, l'une en porcelaine, l'autre en fer-blanc, puis empoigna la cafetière posée sur un coin du poêle. Je toussai pour lui indiquer l'endroit où je me tenais, mais il me tendait déjà ma tasse.

« Parfait, dis-je.

– Il est trop fort. Merci quand même. »

Il s'assit sur le lit et s'adossa au mur.

Il faisait frais, presque humide, dans la cabane encaissée, et je pensai au pauvre vieux Bird attaché dehors à la pompe. Il s'exposait à un coup de chaleur.

« Tu es un excellent maître de maison, vieil homme.

– J'ai de nombreuses années de pratique. Et il est plus facile de mener une vie frugale que d'affronter les chagrins que valent les biens matériels.

– Les biens matériels peuvent en effet causer des chagrins, acquiesçai-je en pensant à mon fusil et à mon rasoir électrique.

– Seulement quand on n'en a pas besoin.

– Ou aussi quand on en a besoin – et qu'on ne les a pas.

– Prends mon cas – je n'ai pas de voiture, dit-il.

– Mais tu ne me donnes pas l'impression d'en avoir besoin. Tu t'en passes.

– Ce serait plus facile avec une voiture. Toi, tu en as sûrement une.

– Non.

– Si tu en avais une, tu pourrais m'amener en ville. »

Je hochai la tête.

« Ça faciliterait la vie, reprit-il. On ne dépendrait pas des autres. »

Je me demandai comment il pourrait conduire. Peut-être avait-il un radar et ne s'y risquerait-il que la nuit.

« Il faut une bonne paire de chaussures pour conduire, dis-je.

– J'y ai pensé aussi. »

Il cacha ses pieds sous le lit comme par pudeur.

« De toute façon, il existe sans doute des lois qui interdisent de conduire pieds nus. »

Il soupira.

« Oui, je suppose.

–Tu n'as pas d'inquiétude à avoir – pas ici.

– Je ne l'affirmerais pas.

– Pourquoi ?

– L'homme de l'irrigation vient de temps en temps régler le débit de la vanne principale – il me tient à l'œil. Je l'entends, là-bas près de cette vanne.

– Tu es trop nerveux, grand-père, dis-je en riant. Et puis, qu'est-ce que tu as à cacher, qu'est-ce que tu as fait dont tu aies honte ?

– Tu n'aimerais pas savoir... »

Sa bouche béa et ses épaules tressautèrent.

« Allez, raconte-moi. Qu'est-ce que tu as dans ce pantalon ?

– Tu n'aimerais pas savoir... »

Sa bouche s'ouvrit encore plus grande, mais aucun son n'en sortit.

« Je parie que tu as une femme dans le coin. Je les connais les vieux busards de ton espèce. »

Ses épaules continuèrent à trembler, puis il se mit à tousser. Il écarta sa tasse pour ne pas tacher le lit et resta ainsi jusqu'à ce que sa crise d'hilarité, ou je ne sais quoi, soit passée.

Il se leva et se dirigea vers le poêle. Tendant la main pour saisir ma tasse, il heurta mon poignet. Ses doigts étaient lisses, satinés, pareils au ventre d'un serpent à sonnette. Il remplit ma tasse jusqu'à deux centimètres du bord, au niveau du doigt qu'il avait glissé à l'intérieur.

« Tu dis que tu es seulement à moitié mort, Yellow Calf, et pourtant tu marches comme un fantôme. Comment je peux être sûr que tu n'es pas tout à fait mort et que tu ne te moques pas de moi ?

– Est-ce que je pourrais être un fantôme et en même temps sucer le sang du bétail ? »

Il se réinstalla confortablement et étira les lèvres sur ce qui aurait pu être un sourire.

« Non, je pense que non. Mais je n'arrive pas à m'empêcher de croire qu'il y a quelque chose d'anormal chez toi. Personne ne devrait vivre seul.

– Seul ? Les cerfs viennent – le soir –, ils viennent se nourrir de l'autre côté du canal. Je les entends. Quand ils sifflent, je leur réponds.

– Et ils te comprennent ? » demandai-je d'un ton ironique.

Dans la pénombre, je ne voyais pas ses yeux.

« Dans l'ensemble, oui – et je comprends la plupart d'entre eux.

– De quoi parlent-ils ?

– C'est difficile... de sujets ordinaires, mais certains sont durs à comprendre.

– Ils parlent du temps ?

– Non, non, pas du tout. Ils laissent ça aux hommes. » Il suçota ses lèvres. « Non, on dirait qu'ils parlent surtout... » Il parut explorer la pièce du regard avec vivacité.

«... euh, des jours passés. Ils parlent beaucoup de ça. Ils ne sont pas heureux.

– Pas heureux? Mais pour un cerf, une année n'est ni meilleure ni pire que la suivante. Qu'est-ce que tu veux dire?

– Les choses changent – ont changé. Ils ne sont pas heureux.

– Ah! c'est une question de saisons, alors. Quand ils ont le ventre plein, ils se rappellent l'époque où la nourriture n'était pas aussi abondante – et quand ils ont froid, ils se rappellent...

– Non!» L'âpreté de sa voix sembla lui-même le surprendre. «Je veux dire que ça va plus loin que ça. Ils ne sont pas heureux de la façon dont vont les choses. Ils savent combien les temps sont difficiles. Ils le voient à la lune quand le monde va de travers.

– Mais c'est impossible.

– Ils comprennent les signes. Le monde va de travers.»

Une brise se leva, qui agita les feuilles des grands peupliers près du canal. L'après-midi s'avançait.

J'avais le sentiment qu'il vaudrait mieux abandonner le sujet, mais les idées de Yellow Calf m'intéressaient.

«Et les autres animaux, tu les comprends aussi?

– Certains, certains plus que d'autres.

– Hmmm, fis-je.

– Le monde va de travers.

– Hmmm...

– Naturellement, les hommes sont les derniers à s'en apercevoir.

– Et toi?

– Même avec leurs machines.

– Hmmm...

– J'ai mes préférences.

– La lune?

– Entre autres – on a parfois l'impression qu'il faut se courber dans le vent pour rester droit.

– Il me semble que tu te courbes beaucoup en ce moment, fis-je.

– Tu ne crois pas les cerfs. »

Il ne paraissait ni provocateur ni blessé. Il affirmait, c'est tout.

« Je ne dirais pas ça.

– Tu ne me crois pas.

– Ce n'est pas une question de croire ou de ne pas croire. Tu ne comprends pas ? Si je te crois, c'est que le monde va de travers.

– Mais tu n'as pas le choix.

– Tu te trompes peut-être – tu pourrais croire et te tromper quand même. Les cerfs aussi peuvent se tromper.

– Tu ne veux pas les croire.

– Je ne peux pas.

– Peu importe.

– Je suis désolé.

– Pas la peine – on ne peut rien y changer. Les cerfs eux-mêmes ne peuvent rien y changer. Ils ne voient que les signes. »

Un faisan cria au loin, mais le vieil homme, habitué sans doute, n'y prêta pas attention. Il se pencha au milieu des ombres qui envahissaient la cabane et, serrant sa tasse entre ses deux mains, sembla me transpercer du regard. Je me soulevai légèrement de ma chaise, puis je posai ma tasse sur la table.

« Il n'est pas très bon, dit Yellow Calf.

– Non – ce n'est pas ça. Il faut simplement que je parte, on est en train de sevrer un veau...

– Je suis vieux.

– Oui.

– Dis bonjour à Teresa de ma part. Dis-lui que je me débrouille du mieux possible.

– Je lui dirai de venir s'en rendre compte par elle-même, fis-je.

– Dis bonjour à First Raise.

– Oui, oui... ça lui fera plaisir. »

Il ignorait donc que First Raise était mort depuis dix ans ?

On sortit dans le soleil de l'après-midi.

Bird essaya de me donner un coup de sabot au moment où je me mettais en selle.

« La prochaine fois, j'apporterai un peu de vin, dis-je.

– Ce n'est pas nécessaire, répondit-il.

– Pour le plaisir. »

Arrivé en haut du pont, j'ébauchai un geste du bras. Yellow Calf se tenait face à la rivière, et il écoutait deux pies jacasser.

19

Lame Bull lança le pick-up à toute allure sur le talus et prit en direction de Harlem. Ensuite, il fit un double débrayage, enclencha la première, puis but une longue gorgée au goulot de la bouteille de bière qu'il serrait entre ses cuisses. Un camion Eddy's Bread nous dépassa dans un rugissement. Lame Bull agita la main et klaxonna. Teresa était assise entre nous, le sac de bière à ses pieds.

« Tu vas nous tuer », dit-elle.

Il éclata de rire.

« Attends qu'on arrive à cette ligne droite près de White Bear. Nom de dieu, je vais te montrer ce que c'est de piloter ! »

Elle se tourna vers moi.

« Et toi, quelle bêtise tu nous prépares ? D'abord, tu perds ta plus belle chemise, après tu manques de tuer ce pauvre Bird – qu'est-ce que tu as inscrit sur ton agenda pour aujourd'hui ?

– Laisse ce garçon tranquille, dit Lame Bull. Moi aussi je faisais un tas de folies à son âge.

– J'ai trente-deux ans », dis-je.

Il fallait parfois que je me le rappelle à moi-même.

« Et tu n'as jamais cessé : maintenant, tu essayes de nous tuer.

– J'ai l'impression que tu vas avoir une longue marche à faire, vieille femme.

– Tu sembles oublier que cette voiture est à moi. »

Lame Bull ôta son pied de l'accélérateur.

« Tu veux conduire ? » Puis aussitôt, il écrasa la pédale. «Eh bien, vas-y... » Il se pencha et me fit un clin d'œil. «Mon vieux, cette fois tu vas l'attraper, je le sens dans mon os – mes os, je veux dire –, les attraper, les taper, les retaper – il faut leur montrer de temps en temps qui est le maître, sinon elles ont tendance à oublier. »

Il pinça l'intérieur de la cuisse de Teresa.

Le niveau de l'eau après le barrage de White Bear était bas. On aurait pu pêcher la tortue.

« Ton frère et toi, vous preniez souvent Bird pour venir nager ici – tu te souviens ? »

Elle posa sa main sur celle de Lame Bull.

« Justement, j'y pensais, dis-je.

– Tu te souviens du jour où vous avez été pris sous cet orage ? Il y avait ton cousin Charley avec vous. Vous étiez tous les trois sur le dos de ce pauvre vieux Bird.

– Il n'était pas vieux à l'époque. Il avait à peine trois ans. »

Trois ans l'année où Mose s'est tué.

« Peu importe. En tout cas, vous étiez tous les trois dessus.

– On s'est abrités sous ces arbres-là », dis-je en désignant un bouquet de peupliers. « Mose a construit une cabane avec des branches mortes. On n'a pas eu trop peur, mais Bird, lui, est rentré à la maison au grand galop – il ne comprenait pas les éclairs.

– La seule chose qu'il comprend, c'est un bon coup dans les côtes », dit Lame Bull.

Nous avions regardé Bird filer, les rênes à l'horizontale, les épaules ramassées tandis que ses jambes faisaient une traînée blanche sous l'averse. Chaque fois qu'un éclair zébrait le ciel, accompagné du grondement du tonnerre, il effectuait un véritable bond en l'air. On le vit disparaître, puis Mose ramassa des branches et de l'herbe pour construire la cabane. Avec minutie, il coupa et encocha deux mâts ainsi qu'une traverse pour poser les branches dessus. Charley et moi, trempés, nous attendions sous l'un des arbres. L'orage se déchaînait autour de nous, mais Mose continua calmement jusqu'à ce que l'abri fût achevé. Puis il se glissa dessous et nous adressa un large sourire.

Ensuite, il fit un feu – il emprunta à Charley ses allumettes, en gratta une, puis plaça la flamme dans un petit trou au milieu d'une pile de brindilles et de feuilles. « On aurait dû pêcher une tortue, dit-il. On l'aurait fait cuire et on aurait mangé sa soupe dans sa propre carapace. » Le feu fumait beaucoup et nous réchauffait peu. Mose semblait néanmoins satisfait. Il n'arrêtait pas de l'attiser, toussant à cause de la fumée. Et après, il y eut la cigarette – nous avions aidé Charley à rouler une de ses Bull Durham.

Et la magie : l'orage cessa aussi brusquement qu'il avait éclaté, et envoya les nuages s'éparpiller aux quatre coins de l'horizon. Le soleil brûlait les dernières effilochures et dansait sur les eaux de White Bear quand on entama le long trajet jusqu'à la maison. Lorsque nous atteignîmes le ranch, les routes étaient redevenues poussiéreuses, et, de la pénombre de l'écurie, Bird nous accueillit par un hennissement.

Mose avait quatorze ans : moi, douze.

« Vous vous amusiez tant, les garçons », dit Teresa en riant.

Il était midi quand on arriva à Harlem et qu'on la laissa devant chez le prêtre. Il allait s'apercevoir qu'elle n'avait pas reçu sa lettre, celle que j'avais déchirée à Malta. Il ne savait sans doute même pas qu'elle s'était mariée avec Lame Bull. Quant à Lame Bull, lui, il ne savait rien du tout.

Il me déposa devant le magasin de Buttrey et partit acheter de la ficelle pour la lieuse chez le concessionnaire John Deere. Quelques Indiens se tenaient adossés à l'ombre contre les bâtiments, certains coiffés de casques et prêts à combattre tout incendie quand l'homme de l'Agence viendrait les chercher, les autres prêts à aider les soldats du feu à dépenser leur argent à leur retour. Edgar Bullshoe me tomba dessus à la hauteur de Beany's Tavern.

« Hé, cousin ! t'as pas un clope ?

– J'ai arrêté de fumer. Demande à ton cousin Musty. »

Musty s'avança et me demanda un *quarter*.

Larue Henderson vérifiait l'huile sur une Chevrolet dernier modèle. Je donnai un coup de pied dans le pare-chocs. Larue leva les yeux. Il fronça les sourcils comme si je venais de lui faire perdre sa place, puis il enfonça de nouveau la jauge à fond avant de la retirer et de l'examiner à la lumière avec une grimace. L'huile goutta sur le pare-chocs. Larue parut satisfait. Il referma le capot.

« Bon, qu'est-ce que tu veux ? » me lança-t-il alors.

Je ne voyais pas ses yeux – personne d'ailleurs ne pouvait les voir car il portait des lunettes noires, comme un aveugle. Je ne pense pas que quiconque ait déjà vu ses yeux, pas même sa femme. Il y avait cependant des moments, quand j'étais assez soûl, et lui aussi, où je voyais quelque chose briller derrière les verres. Lame Bull m'avait raconté qu'un soir, alors qu'il se battait avec lui chez Beany, il lui avait fait sauter ses lunettes et qu'aussitôt Larue Henderson avait mis ses mains devant ses yeux, laissant tout loisir à son adversaire de lui faire également sauter les dents. Ensuite, une fois calmé, Lame Bull avait été lui en acheter une nouvelle paire au drugstore. C'était peut-être vrai. Larue Henderson n'avait plus beaucoup de dents.

Il nettoya rapidement le pare-brise de la Chevrolet, enlevant les plus récents des moucherons écrasés, puis il entra dans la station-service où attendait le propriétaire de la voiture. Je le rejoignis.

« L'huile, ça va, mais vous feriez bien de surveiller cette courroie de ventilateur. J'en connais qui sont en meilleur état. »

Il lui compta un dollar supplémentaire pour le conseil.

L'homme portait une de ces chemises transparentes qui ont l'air en papier paraffiné. Il avait la poitrine molle.

« Vous n'attraperez pas de poissons dans le coin », lui dis-je.

Après son départ, Larue Henderson empocha les un dollar.

« Tu le connais, ce type ?

– Peut-être, répondis-je. Sa tête me dit quelque chose.

– Qu'est-ce qui t'amène en ville ? Je croyais que Lame Bull et toi, vous seriez en train de compter l'argent de ta vieille.

– Ben, non – on n'est pas si riches que ça. » Mais j'éprouvai un léger sentiment de fierté. Être considéré comme un homme riche, ce n'est pas si désagréable. « Je cherche juste quelqu'un. »

Il ne parut ni impressionné ni curieux. Il prit un petit pain aux noix dans la vitrine.

« Tu veux une bière ? demandai-je.

– Qu'est-ce qui vous prend, les mecs ? Vous voyez pas que je suis occupé ? » Il sortit le petit pain de son emballage. « Nom de dieu, c'est de plus en plus dur de gagner sa vie dans cette putain de ville.

– C'est moi qui paye, dis-je.

– Nom de dieu de nom de dieu, fit-il en secouant la tête. Bon, d'accord, mais une seule, celle que tu m'offres. »

La caisse tinta, et il en tira un billet de dix dollars.

« Une seconde. » Il se dirigea vers la porte qui donnait sur la fosse de graissage. « Hé ! toi ! Tu surveilles ce garage, compris ? Et quand je dis surveiller, c'est surveiller. Pas question d'aller te branler dans les chiottes. »

Un gémissement lui répondit.

« Qui c'est ? demandai-je pendant que nous traversions la rue.

Ah, ce putain de môme ? Il en est au stade où il ne pense qu'à une chose, se branler. Bon dieu, j'en ai trouvé sur la glace des toilettes, sur les pneus – et même sur ces conneries de souvenirs dans la vitrine. »

On était arrivés dans l'ombre du bâtiment de la banque.

« Regarde-les, ces petits fumiers, tous à compter leur fric. »

Je levai les yeux vers la baie vitrée, mais les stores vénitiens étaient fermés.

« Je ne peux pas le virer. Sa vieille me ferait la peau.

– C'est toi le patron, non ?

– Tu plaisantes – ça appartient à ces salauds là-dedans », fit-il avec un geste du pouce en direction de la banque. « Putain, et ils ne savent même pas changer un pneu.

– Ils possèdent à peu près tout, dis-je.

– Sa vieille me couperait les couilles.

– Comment ça marche, elle et toi ?

– Putain, tu te fous de ma gueule ? »

Lame Bull était installé chez Beany. Et Beany en personne servait au bar. Il était très vieux et très blanc. Et aussi très riche. Lame Bull lui parlait de ses soucis de propriétaire. Beany, caressant la monnaie sur le comptoir, hochait la tête.

« C'est pas facile, disait-il. Non, vraiment pas facile. »

Lame Bull insista pour payer nos quatre bières. Un bras passé autour de mes épaules, il expliquait à Beany qu'il s'efforçait d'être un bon père.

« Oh, c'est pas facile... d'être un bon père. »

Beany gratta sa tête couronnée de cheveux blancs tout en continuant à jouer avec les pièces.

« Merde. »

Larue Henderson alluma une Salem.

« Tu vois, tu vois, fit aussitôt Lame Bull. Nous y voilà.

– Merde, répéta Larue Henderson.

– Tu vois ce que je veux dire ? demanda Lame Bull.

– Oh, non ! vraiment pas facile, dit Beany.

– Merde, fit Larue Henderson pour la troisième fois.

– Tu jures sans cesse et tu fumes comme une femme – tu le sais, Larue ?

– Merde, fit une femme au bout du bar.

– Dis donc, vieille peau, tu veux mon pied dans le bide ? Ma botte est toute prête à te remonter les amygdales. »

Lame Bull, pour appuyer ses paroles, me serra la nuque.

« Ce que je veux, je sais très bien que tu l'as pas, espèce de vieux con. »

Lame Bull partit d'un grand rire et me serra de nouveau la nuque.

« Tu veux venir derrière et procéder à une estimation ?

– Putain, vous les vieux mecs... » Elle vida son verre. « Paye-moi un coup. »

Lame Bull lui paya un coup.

Larue Henderson s'affala sur le bar. Par-dessus l'arrondi de ses épaules, je détaillai la femme. Elle avait la quarantaine, portait un rouge à lèvres sombre et du maquillage noir autour des yeux. Ses cheveux retombaient en boucles noires. Elle fouillait dans son sac.

« Alors, petit, pourquoi tu viens pas me parler ? »

Elle ne leva même pas les yeux.

« Il étudie pour être prêtre », répondit Lame Bull en appuyant sur ma nuque pour m'empêcher de bouger.

« Dis-lui que j'ai là quelque chose qui va lui faire oublier tout de suite ces conneries d'idées. »

Les sourcils de Larue Henderson se haussèrent au-dessus de ses lunettes noires.

« Dans ce sac, tu veux dire ?

– Si t'es pas foutu de comprendre, serpent à lunettes, tu ferais mieux de retourner dans ton garage et te faire expliquer certains trucs par ton petit gars. »

Elle sortit son rouge à lèvres.

« Merde.

– Tu la connais ? fis-je.

– Quand c'est pas ces putains de banquiers, c'est une grande gueule de bonne femme.

– Elle se défend.

– Je l'ai déjà vue dans le coin – elle est de Havre, une bonne femme de la ville – merde.

– Je me demande si elle a une voiture ? »

Musty s'avança vers nous et réclama un *quarter*. Il était coiffé d'une casquette de chasseur en plastique rouge. Larue Henderson lui donna une poignée de monnaie, et il repartit.

« Saloperies d'Indiens... comment elle peut savoir pour ce garage ? Ah, oui ! elle a une voiture, si on peut appeler voitures ces saloperies de Volkswagen.

– Au fait, tu te rappelles quand je t'ai dit que je cherchais quelqu'un ?

– Non, je ne me rappelle pas.

– Peut-être que je ne te l'ai pas dit.

– Et alors ?

– Eh bien, elle est à Havre.

– Sans blague – tu parles d'une coïncidence !

– Tu piges pas ?

– Piger quoi ? »

Il soupira.

« Additionne donc deux et deux.

– Quatre. »

J'éclatai de rire.

« Nom de dieu, je dois être en train de devenir cinglé. »

Il se leva et renversa son tabouret par inadvertance.

« Hé ! Où tu vas, serpent à lunettes ?... tu ne m'as pas encore payé un verre ! »

Elle pouffa.

Larue Henderson s'en alla sans se retourner.

« C'est un vrai champion, non ? fit la femme.

– Les financiers le tracassent, dis-je.

– C'est tous... »

Je pris ma bière et allai m'installer à côté d'elle. Comme Lame Bull ne réagissait pas, je regardai par-dessus mon épaule. Il n'était plus là.

« À quoi tu joues ?

– Je viens juste pour avoir une petite conversation amicale.

– Ben, voyons ! »

Elle agita son verre.

« Hé ! Beany ! »

Il lui apporta un whisky et un verre d'eau.

« Un petit coup pour la petite dame », dit-il.

Elle lui adressa une injure.

« Et une autre bière pour moi, s'il vous plaît. »

Je poussai un dollar vers lui.

« Et maintenant, qu'est-ce que tu veux ? » me demanda-t-elle en buvant une gorgée d'eau.

« En ce moment même, vous voulez dire ?

– Oh ! la la ! vous les jeunes, c'est vraiment quelque chose... »

Elle fumait des Pall Mall. Les mégots s'alignaient dans le cendrier, chacun marqué de son rouge à lèvres. Elle secoua son paquet pour en tirer une cigarette qu'elle glissa dans sa bouche. Une bague de diamants ornait son annulaire, très mince en dessous, comme usée d'avoir été portée jour après jour pendant plusieurs générations.

Les lettres « JR », devenues floues, étaient tatouées sur la peau entre son pouce et son index.

« Qui c'est, JR?

– Ça alors, bon dieu, c'est le comble! » Elle lança une pochette d'allumettes sur le bar. « Enfin... donne-moi du feu.

– Vous êtes d'où? »

Je grattai une allumette et l'approchai de sa cigarette.

« D'où je vais retourner dès que j'aurai fini ce verre. » Elle but encore un peu d'eau. « Je n'ai jamais rencontré quelqu'un qui s'intéressait autant aux affaires des autres.

– J'essayais uniquement d'être aimable. Qui c'est, JR?

– Peut-être mon mari – peut-être l'homme qui me tient éveillé la nuit. Qu'est-ce que t'en penses?

– Je ne sais pas... c'est ça? »

C'est vrai que je m'intéressais à ses affaires.

« Compte pas sur moi pour te le dire. »

Elle souffla un nuage de fumée au plafond.

« J'étais simplement curieux – je m'imaginais que vous aimeriez peut-être parler de lui.

– Eh bien, non. C'était il y a longtemps, tu peux me croire. »

Elle repoussa une mèche de cheveux qui lui tombait sur le front et continua à fumer.

Je me reculai pour mieux l'étudier. À cause de son bras, je ne distinguais que le dessous de ses seins, mais ils devaient être gros car ils descendaient loin sur son ventre plat. Sa robe moulante brillait sur ses cuisses, et le vert foncé me rappelait une sirène.

« Je vois.

– Tu vois quoi? »

Je m'étranglai.

Elle affecta un air malheureux ou déçu, et je la trouvai belle ainsi.

« Je n'ai rien fait, dis-je.

– Je refuse d'en parler», déclara-t-elle avec tristesse. Elle se détourna et croisa les jambes.

Son pied décrivait de petits cercles nerveux.

«Je m'excuse – vous êtes d'où, déjà?

– De Havre.

– De Havre!

– Oui, de Havre», répéta-t-elle d'un ton toujours aussi triste.

«Mais c'est là que je vais!»

Elle souleva son verre de whisky et en contempla le fond.

«Je dois me présenter pour un travail – chef d'équipe aux chemins de fer – demain matin... »

Elle porta son verre à ses lèvres, et le laissa là. «Chef d'équipe, mon œil – regarde-toi!» Mais elle, elle ne me regardait pas.

«À la première heure, mes ouvriers et moi...

– Il veut me faire croire qu'il est chef d'équipe.»

Elle inclina son verre et but. Le whisky disparut en six gorgées.

«Enfin, c'est pas encore sûr.

– Et si tu m'en payais un autre?»

Je fis signe à Beany.

«T'as déjà pris l'Empire Builder? me demanda-t-elle.

– Le Western Star, deux ou trois fois.

– Moi, j'ai pris une fois l'Empire Builder jusqu'à Minneapolis – pour chercher du boulot.»

Elle passa le doigt sur le bord de son verre.

«Il ne s'y arrête pas.

– Mais si, “Il y a plein de boulot à Minneapolis”, ils me disaient... » Elle sembla tout à coup amère, comme si le dernier whisky l'avait précipitée dans un abîme personnel. «Si quatre-vingt-dix mots à la minute ne leur suffisent pas, qu'ils aillent se faire foutre!

– C'est ça que vous êtes – secrétaire?

– Plus maintenant, mon gros. C'était il y a bien longtemps, fais-moi confiance.

– Eh oui ! ainsi va la vie.

– Tu veux que je te dise quelque chose ? » Elle me dévisagea. « Eh bien, si tu veux savoir, je n'ai jamais travaillé un seul jour comme secrétaire. Deux ans d'études pour apprendre à griffonner et à taper ce que dégoise je ne sais quel ponte de service, et pas un seul jour de travail ! » Des larmes gonflaient ses yeux. Elle était plus soûle que je ne le pensais. « Pour faire ça à une jeune fille, il faut vraiment que le monde soit pourri.

– Ça, en effet, il n'est pas bien beau. »

Je commençais moi-même à me sentir déprimé.

« Tu oses te plaindre, toi... » Elle se pencha de nouveau sur son verre. « Au moins, demain tu vas travailler.

– C'est pas encore sûr. »

J'éprouvais des remords de lui avoir menti.

« Mais c'est déjà quelque chose.

– Ouais, plus ou moins...

– Tu voudrais que je te conduise, c'est ça ? »

Beany apporta une autre bière et un autre whisky. Puis il lui remplit son verre d'eau.

« Bon, d'accord, reprit-elle. Si c'est ça que tu veux, on peut s'arranger. »

C'était donc réglé.

« Comment tu peux boire cette saloperie ? » fit-elle en désignant ma bière. Sa voix tremblait.

20

Je ne comprenais pas comment j'avais atterri sur ce divan, enveloppé dans un tapis dont le dessous en caoutchouc me glaçait les épaules et dont le bord me grattait le menton.

Dehors, un passereau annonçait les premiers rayons du jour.

Je me redressai et lançai le tapis loin de moi. On avait repoussé la table basse. Un verre de whisky dilué, plein de mégots tachés de rouge à lèvres, menaçait de tomber. Je le mis par terre. Je me trouvais au fond d'une pièce qui ressemblait à un wagon de chemin de fer. Dans le coin opposé, à côté d'un poêle à pétrole, se tenait un divan pareil au mien, mais sur lequel s'entassaient draps et couvertures emmêlés. Un oreiller traînait, jeté à même le sol. Une bibliothèque encadrait la tête du divan, mais elle ne contenait pas de livres – juste quelques bricoles, un ballon et ce qui me paraissait être un mange-disques en plastique. Le devant de la pièce constituait la cuisine, remplie de placards et de vaisselle sale, aux murs décorés de papier peint graisseux. Une porte se découpait près d'un réfrigérateur jauni, qui donnait sur le mur en stuc hachuré de soleil d'une autre maison. En face du réfrigérateur, contre le mur, il y avait une table – et un garçon, âgé peut-être de cinq ou six ans, qui mangeait tranquillement son bol de céréales.

Je me levai et enfilai ma chemise que je m'empressai

de boutonner et de fourrer dans mon pantalon, conscient de la présence du garçon ; mais à en juger par le bruit de la cuillère dans le bol, il semblait trop occupé à manger pour prêter attention à ma personne.

La porte derrière moi contrastait avec l'aspect miteux du reste – elle était neuve, en contre-plaqué verni presque noir et munie d'une poignée en verre. J'ouvris, puis je risquai un coup d'œil : dans sa chambre, la femme, Malvina (elle avait refusé de me dire son nom de famille), dormait sur un grand lit. Je me glissai à l'intérieur et refermai la porte. Le mobilier se réduisait au minimum – une commode, une chaise en bois, une petite table de chevet – mais la pièce regorgeait de dentelles et de fronces. Un rideau à fronces dissimulait la fenêtre et le dessus-de-lit lui-même était à fronces. On se serait cru au sein d'un cocon. Un lourd parfum flottait dans l'air, qui ne parvenait pas à masquer tout à fait l'odeur du whisky.

Sur la commode s'amoncelaient bouteilles de parfum et d'eau de Cologne, ainsi que boîtes de talc et de poudre, toutes délicatement teintées et nichées dans les fronces. Des perles de bain gisaient éparpillées au milieu des flacons. J'en pris une au hasard, et j'en sentis sous mes doigts toute la douceur. Elle était bleu clair, translucide. Je me remémorai ce jour froid de début de printemps où Mose et moi avions découvert des perles de bain dans la chambre de Teresa. Il s'agissait sans doute d'un cadeau de mon père, pour Noël ou pour son anniversaire. Elles étaient dans une boîte en plastique transparente entourée d'un ruban. Il n'en manquait pas une seule. J'essayai de m'imaginer Teresa dans le baquet en fer posé sur le sol de sa chambre, des bulles jusqu'au cou. First Raise n'avait guère le sens pratique.

Je m'assis au bord du lit de Malvina. Sur la table de chevet brillaient avec solennité les cadres dorés de plusieurs photos. J'en inclinai une vers la fenêtre. C'était

Malvina, plus jeune, plus jolie, qui souriait auprès d'une Buick 53 rutilante ; une autre la montrait sur le seuil d'un bungalow aux murs sombres, une troisième devant un canon dans un square quelconque – toutes représentaient Malvina dans divers endroits, vêtue de diverses robes, et toujours le sourire aux lèvres, alors qu'il me semblait au contraire qu'elle ne souriait pas beaucoup dans la vie. Je ne me rappelais pas l'avoir vue esquisser le moindre sourire cette nuit. Je me demandais qui les avait prises – JR ? ou bien si elle possédait un appareil à déclenchement automatique.

Couchée sur le côté, elle me tournait le dos. Je soulevai le drap. Son épaule brune luisait dans la lumière filtrée par les rideaux. Je me penchai au-dessus d'elle. Ses seins étaient très gros, soyeux, terminés par d'énormes mamelons foncés. Le parfum me montait à la tête, et je ressentis une violente bouffée de désir. J'avançai la main pour lui caresser le sein, puis je la glissai en dessous et fis rouler le mamelon entre mes doigts. Je descendis vers la toison noire entre ses cuisses...

« Fous le camp. »

Ma main se figea.

« Fous le camp. »

Mon entrejambe se figea.

« Fous le camp. »

Je laissai retomber le drap, et je m'assis un instant afin de réfléchir au moyen de la forcer, mais à l'idée du petit garçon qui mangeait ses céréales dans la pièce voisine, je renonçai et le désir me quitta aussi brusquement qu'il était apparu.

J'allai pisser dans la salle de bains. Puis je me lavai la figure avec un savon en forme de minuscule grappe de raisins. En traversant la chambre, je jetai un coup d'œil vers le lit – elle s'était mise sur le dos, et ses seins s'étalaient comme des puddings sous le drap. Je refermai doucement la porte.

« Et toi, qu'est-ce que tu en penses, junior ? » lançai-je en passant devant la table.

« Je m'appelle pas junior », siffla-t-il dans mon dos.

21

Nous étions trois sous le store vert du magasin « Coast-to-Coast » au bord de la Route 2. Les deux autres paraissaient attendre l'ouverture des boutiques. Moi, j'attendais celle de chez Gable et du Silver Dollar. D'après la pendule de la banque en bas de la rue, il nous restait à tous trois vingt minutes à patienter.

Il faisait frais à cette heure matinale. La circulation était fluide, presque nulle, bien que la Route 2 coupât Havre d'est en ouest. Les camions grinçants ne passeraient que plus tard. Un quatrième homme nous rejoignit, qui se gratta le bras en examinant les vélos neufs dans la vitrine.

« Ce trois-vitesses coûte quatre-vingt-neuf dollars », dit-il.

Je traversai et entrai au Dutch Shoppe, où je commandai un verre de lait et une part de tarte aux cerises. L'uniforme tout propre de la serveuse produisit un froissement lorsqu'elle alla chercher le lait dans la glacière. Que cette Malvina aille donc se faire foutre !

À peine avais-je entamé ma tarte qu'un homme se laissait choir sur le tabouret à côté de moi. Il s'était matérialisé si vite, et dans un tel silence, que je le crus tombé du plafond.

« Ne regardez pas, souffla-t-il. Vous vous souvenez de moi ? »

Les cerises étaient acides et je m'efforçai de garder la bouche fermée tandis que je secouais la tête.

« Vous ne vous souvenez pas de moi ? »

Il paraissait déçu.

J'avalai mon morceau de tarte.

« Comment je pourrais le savoir si je ne peux pas regarder ?

– Je ne voulais pas dire ça – moi, bien sûr, vous pouvez me regarder. » Il se pencha. « Faites gaffe, je veux dire. »

Je le regardai.

« Maintenant, vous vous souvenez ? me demanda-t-il. Surtout, ne regardez pas autour de vous. »

Je regardai autour de moi. La salle était déserte. Je me tournai vers lui. Je reconnus l'homme de Malta, celui qui avait déchiré son billet d'avion.

« Tiens », fis-je.

J'étais content de rencontrer un visage familier.

« Ha ! ha ! vous vous souvenez, donc.

– Ouais.

– Ça fait un bout de temps, dit-il.

– Je ne m'attendais pas à vous revoir. Vous étiez un simple touriste.

– Je n'irais pas jusque-là ; je veux dire, je ne suis pas le touriste ordinaire.

– Non... je n'avais pas l'intention de vous offenser. Vous êtes plutôt le genre voyageur, répliquai-je. Pourquoi vous ne voulez pas que je regarde ? »

Il planta ses coudes sur le bar et se frotta les yeux. Il parla du coin des lèvres :

« J'aurais préféré que vous ne me posiez pas la question. Je n'aimerais pas que vous soyez mêlé à toute cette histoire. »

La serveuse tapota le comptoir de son crayon.

L'homme ouvrit les yeux et, avec un air de grande dignité, commanda un gâteau à la crème et un café.

« Quelle histoire ? »

J'avais dû élever la voix, car il jeta un rapide coup d'œil autour de lui.

« Non, non, n'y pensez plus. Je ne me le pardonnerais jamais.

– Mais alors, à quoi bon avoir des amis ? Si nous n'étions pas amis, ce serait différent.

– Passez-moi le sucre. »

Il versa un peu de sucre dans sa tasse.

« Je suis sincère – à quoi bon avoir des amis ?

– Passez-moi le lait.

– Il est caillé.

– Oh, mon dieu – bon, écoutez-moi une minute. » Il plongea son regard dans le mien. « Vous êtes sûr que vous voulez m'aider ? »

J'acquiesçai.

« Vous comprenez ce qui se passe ? »

Je secouai la tête.

« Très bien, je vais vous mettre au courant... »

Il s'interrompit net à l'entrée d'un vieil homme en chapeau de paille et pantalon de toile vert.

« Il faut qu'on sorte d'ici, reprit-il dans un murmure.

– Quoi... ce vieil homme ?

– Précisément. Vous saisissez vite. » Et, comme après réflexion, il ajouta : « Ça me plaît.

– On ne sait jamais..., dis-je.

– Où peut-on aller ?

– Le Legion Club ? proposai-je. Ça devrait être ouvert maintenant.

– Excellente idée, chuchota-t-il. On se retrouve là-bas ? Non, ne me suivez pas tout de suite, attendez une minute ou deux. »

Il se leva et tira une pièce de un dollar de la poche de son pantalon de safari.

« Bon, fit-il d'une voix forte. Je ferais mieux de me bouger !

– Pas la peine...
– Si, si ! Pour vous, mon chou ! » cria-t-il à la serveuse en lançant la pièce sur le bar.
« Bonne chance, dis-je.
– Vous êtes gentil, fit-il en remontant son pantalon. Je vais peut-être aller pêcher un peu. »
Je redressai la tête.
« Mais il n'y a pas de poissons dans la rivière. »
Il grimaça, m'adressa un clin d'œil, puis me désigna le vieil homme.
« À un de ces jours. »
Je finis ma tarte et mon café, puis je me préparai à partir. Le vieil homme se roulait une cigarette. Il tremblait et le tabac n'arrêtait pas de tomber par les deux bouts.
« Ce n'est pas un très bon pêcheur, dis-je. Il faut lui laisser ses illusions.
– Hé, hé », fit le vieil homme.
Il lécha le papier. Un bol de flocons d'avoine était posé devant lui.
« Vous qui êtes un ancien, vous avez déjà entendu parler de poissons dans cette rivière ?
– Hé, hé. » Il leva sa cigarette pour l'admirer. Compte tenu de la manière dont il tremblait, le résultat ne semblait pas trop mauvais. Elle était juste un peu bombée au milieu. « Hé, hé », fit-il de nouveau.
Un grand fracas retentit dans la cuisine, comme si quelqu'un venait de casser une pile d'assiettes. Puis on entendit jurer. Le vieil homme glissa la cigarette entre ses lèvres, frotta une allumette sur sa braguette, inspira profondément, puis s'écroula, le nez dans les flocons d'avoine.
Manifestement, il était mort. Je lui tapai sur l'épaule pour m'en assurer. Oui, il était bien mort.

22

Je retournai sous le store du « Coast-to-Coast » pour rassembler mes idées. Gable et le Silver Dollar devaient être ouverts à présent, mais la fille n'y serait pas, pas de si bonne heure. J'éprouvais un curieux sentiment de soulagement. Il ne faisait pas de doute qu'elle s'était débarrassée de mon fusil et de mon rasoir électrique, alors à quoi servirait cette confrontation ? Je ne voulais pas la récupérer – en m'apercevant de son départ, je m'étais senti drôlement soulagé, alors pourquoi tenir ainsi à la retrouver ? – mais je savais que je me mettrais à sa recherche et que je la retrouverais quand même, cet après-midi ou ce soir, mais pas maintenant. Il était trop tôt, et puis il y avait l'homme de l'avion et l'histoire dans laquelle il semblait être fourré...

« C'est votre voiture ? »

Une contractuelle rédigeait une contravention à côté de moi.

« Je voudrais bien. »

Je quittai mon abri et, longeant le trottoir, je passai devant le cinéma, la boutique de fleuriste, le magasin d'alcools...

« Je croyais que vous n'arriveriez jamais, me dit l'homme de l'avion quand j'entrai au Legion Club.

– J'ai bien failli. Un peu plus, je me faisais renverser par une voiture.

– Peu importe – le principal, c'est que vous soyez là. »

Il s'exprimait de nouveau sur le ton du secret.

« Vous vous souvenez de ce vieil homme dans le restaurant ?

– Celui qui écoutait notre conversation.

– Eh bien, il est mort. »

Il me lança un regard étonné. Puis, comme s'il se rappelait quelque chose, il plongea la main dans sa poche et en sortit un vieux mouchoir. Il s'épongea le front, puis se moucha, un coup bref.

« J'aime bien la façon dont vous réfléchissez quand vous êtes sous pression. Je crois que nous allons bien nous entendre.

– Tout ce qu'il y a de plus mort.

– C'est aussi bien comme ça... mort, vous dites ?

– Tout ce qu'il y a de plus mort. Il était assis là, à se rouler une cigarette, et une seconde plus tard, terminé.

– C'est aussi bien comme ça... mort ! »

Il secoua la tête.

« Il n'écoutera plus les conversations.

– Je suppose... nom de dieu, je ne parviens pas à y croire. »

J'aurais pensé que cette information lui ferait plaisir, mais il continuait à secouer la tête en marmonnant. Il s'essuya la lèvre supérieure avec son espèce de chiffon. Puis il se remoucha.

« Au moins, il ne vous filera plus.

– Oh, il ne me filait pas – c'était la première fois que je le voyais.

– Quoi ?

– Je ne l'avais jamais vu de ma vie avant ce matin.

– Mais vous disiez...

– Non, non – en fait, puisque vous en parlez, c'est quelqu'un d'autre qui me suit.

– En tout cas, vous n'aurez plus à vous inquiéter de lui. »

Je me sentais idiot.

L'homme de l'avion jouait sur une sorte de petite machine à sous. En haut de l'appareil, une fille aux cheveux blonds soulevait sa jupe et dévoilait ses cuisses dorées. Un cœur rouge était cousu sur son slip, à l'endroit de l'entrejambe. Il tapa une douzaine de numéros, déplia les tickets avec soin puis, la tête inclinée, les étudia. Aucun chiffre ne correspondait à ceux inscrits sur la machine. Il chassa les bouts de papier d'un revers de main, et recommença.

« Vous n'avez pas beaucoup de chance, dis-je.

– C'est probablement aussi bien comme ça. »

Il tapa une nouvelle série.

« Qui est-ce qui vous suit ? » demandai-je.

Il prit le ticket, puis me jeta un coup d'œil.

« Merde !

– Quoi ?

– J'ai gagné. Hé ! j'ai gagné ! » cria-t-il au barman.

Celui-ci, un homme autour de la soixantaine en col roulé rouge, s'approcha, un torchon à la main.

« Que puis-je pour vous, champion ?

– J'ai gagné quelque chose. Vous voyez, ce chiffre-là correspond au second de la troisième colonne. J'ai droit à un lot, je ne sais quoi. »

Le barman tira une paire de lunettes de la poche de sa chemise. Il les mit et examina le ticket à la lumière. Puis il alla à la fenêtre et l'examina de nouveau.

« Ce numéro-là est sur l'appareil ?

– Oui, là. »

L'homme de l'avion brandit la petite machine.

Le barman apporta une boîte de cerises au chocolat.

« Je ne suis que le garçon de salle ici. Je ne suis pas vraiment barman – putain, on ne me paierait jamais assez. » Il nous lança un regard perspicace. « Je garde cet endroit propre, c'est tout.

– Vous faites du bon boulot, dis-je.

– Ce brave Walt me permet de dormir derrière, expliqua-t-il. Bon, alors vous avez fait combien de parties ?

– Trente environ, il me semble, répondit l'homme de l'avion.

– À un *nickel* le coup, ça fait... » Il ferma les paupières. « Combien ? »

L'homme de l'avion leva les yeux au ciel. Je secouai la tête. Le garçon de salle saisit un bloc et un crayon. Il lécha son pouce.

« Voyons, trente fois cinq égale... » Sur la feuille, il divisait trente par cinq. « On arrondit – cinq dollars, ça ira ?

– C'est impossible, dis-je. Trente *nickels* ne peuvent pas faire cinq dollars. »

Le faux barman se passa le crayon dans les cheveux et se gratta le crâne avec la pointe. « Je ne suis que le garçon de salle », répéta-t-il, boudeur. Il entreprit alors de tracer une colonne de cinq, qui commença par pencher trop à gauche, puis trop à droite. Il poussa le bloc vers moi. « Vous êtes comment en arithmétique, champion ? »

Une mouche atterrit sur mon front.

« Le barman habituel a des ennuis de femme – si vous voyez ce que je veux dire », précisa l'homme à tout faire.

J'additionnai les cinq. Ce n'était pas facile à cause de la colonne qui partait de travers. Puis je fis glisser le bloc vers le garçon de salle. Il le leva à la lumière, puis retourna à la fenêtre. « Vous me devez un dollar et quatre-vingt-quinze centavos », dit-il. Le problème étant résolu, il souriait.

L'homme de l'avion sortit deux dollars de son portefeuille et les jeta sur le comptoir.

« Voilà – et je joue encore un coup pour le *nickel* qui reste. »

Le garçon de salle se pencha au-dessus de l'argent.

« Une seconde – ça ne va pas.

– Je vous simplifie les choses. Vous ne voyez pas, avec deux dollars on est quittes.

– Non, non, ça va flanquer la pagaille dans tous mes calculs. C'est moi qui dois faire sonner cette caisse, pas vous. » Il enregistra le dollar quatre-vingt-quinze et rendit le *nickel.* »Maintenant, vous voulez faire encore une partie, c'est ça ? »

L'homme de l'avion parut abasourdi.

« Okay, champion, allez-y. »

Il gagna de nouveau. Après le rituel de la fenêtre, le garçon de salle apporta une autre boîte de cerises au chocolat.

« Dites donc, vous êtes un sacré veinard ! Moi, à votre place, avec une chance pareille, je filerais à Reno. » Il se tourna vers moi. « Qu'est-ce que vous buvez, champion ? »

Je commandai une bière dont je n'avais pas envie, puis je me dirigeai vers les toilettes. *Qu'est-ce que tu cherches le nez en l'air ? Tu l'as dans la main !* Je me reboutonnai et contemplai mon visage dans la glace. J'avais besoin de me raser. Avec mon rasoir électrique, j'aurais pu. Mais il n'y avait pas de prise.

Un gros ours en peluche violet occupait mon tabouret. Le sol était jonché de tickets de machine à sous. L'homme de l'avion jouait sur une autre, celle-là avec une *señorita* en robe de flamenco. Je m'assis à côté de l'ours en peluche et caressai sa tête crépue. Il avait la figure et le ventre blancs. Deux yeux noirs en boutons de culotte fixaient avec solennité le verre de bière et une langue rouge en feutre pendait stupidement entre ses lèvres.

23

« Le Canada !

– Bon dieu, pas si fort. »

Il se pencha au-dessus de l'ours en peluche.

« Qu'est-ce qui se passe, champion ?

– Rien, rien.

– Mais pourquoi le Canada ? qu'est-ce qu'il y a là-bas ?

– C'est ce qu'il n'y a pas qui m'intéresse. » Il glissa son bras autour de l'ours en peluche. « Le F.B.I.

– Hé, une seconde, une seconde – vous voulez dire que vous êtes recherché par le F.B.I. ? C'est dans une histoire comme ça que vous vous êtes fourré ?

– Le F.B.I., parfaitement.

– Mais qu'est-ce que vous avez fait ?

– J'ai pris quelque chose qui ne m'appartenait pas vraiment – disons que je suis parti avec.

– De l'argent ?

– Je ne suis pas libre de répondre. J'invoque le cinquième amendement. »

Il affecta un air avantageux.

« Vous êtes donc en fuite. Vous ne devriez pas vous cacher ?

– C'est ce que je fais. Je me cache dans le Montana ; vous connaissez un meilleur endroit pour se cacher ? À part le Canada, bien entendu – et c'est là que vous intervenez. » Il commanda de nouveau à boire, un gin-tonic. « Pas de cerise, cette fois, hein ?

– Sûr, champion.

– Alors, le truc de déchirer votre billet d'avion et de plaquer votre femme, c'était un mensonge?

– Pas du tout! En réalité, c'est ma femme qui m'a mis les agents fédéraux aux trousses.» Il rit. «Elle en avait marre de moi!»

Je réfléchis. Ça paraissait un peu cruel de la part d'une femme de dénoncer son mari, mais d'un autre côté, il l'avait abandonnée.

«Je n'ai pas de voiture, dis-je.

– Aucune importance. On peut aller en acheter une tout de suite.

– Et vous voulez que je vous fasse franchir la frontière, c'est tout?

– Absolument.

– Les gardes-frontières se montrent parfois un peu curieux.

– J'y ai pensé, mais vous voyez – et c'est toute la beauté de la chose –, on leur racontera que vous m'emmenez à Calgary prendre un avion. Comme ça, vous pourrez rentrer seul sans qu'on vous pose de questions.»

Il donna une grande tape dans le dos de l'ours en peluche.

«Comment je reviendrai?

– Seul – c'est toute la beauté de la chose.

– Non, je veux dire par quel moyen? Je ne vais pas rentrer à pied.

– Vous croyez que je vous laisserais? Pour qui me prenez-vous? Mussolini? Non, voilà comment on va faire. Vous me déposez à Calgary et la voiture est à vous. Vous rentrez peinard, en grand seigneur.

– Et vous vous envolez pour où?

– Ça, ce sont mes affaires – ça ne regarde que moi. Une fois la frontière franchie, vous recevrez cinq cents dollars en plus de la voiture. Et maintenant, osez donc affirmer que ça ne vaut pas le coup.

– Je n'arrive pas à comprendre pourquoi vous m'avez choisi, moi – il faut que je vous dise, ces gardes, ils aiment bien chercher des ennuis aux Indiens. Ils se demandent toujours ce qu'un Indien pourrait avoir à faire au Canada.

– Mon vieux, décidément vous ne connaissez rien aux ficelles du métier ! » Il assena une claque sur la tête de l'ours en peluche. « Suivez-moi bien : on est tous les deux dans la voiture, d'accord ? L'un de nous deux subit un tas de tracasseries, vous l'avez dit vous-même, d'accord ? Donc, les gardes sont tellement occupés à lui faire subir ces tracasseries qu'ils ne font pas attention à l'autre. Je passe la frontière sans le moindre problème – je dirai que je vous ai ramassé en stop. Alors, qui va me poser des questions ? »

Je regardai par la porte. Une ambulance était garée en double file de l'autre côté de la rue. Le chauffeur lisait un journal. Sa lecture semblait l'amuser.

« Vous comptez partir quand ? demandai-je.

– Ce soir... quand la lune sera pleine. »

Il appuya son menton sur l'ours en peluche et me dévisagea. Ses yeux bleus paraissaient à la fois vifs et indolents, comme s'il n'avait pas encore tout à fait réagi au somnifère que le garçon de salle lui aurait versé dans son verre.

24

Je me sentais ridicule à me promener avec cet ours en peluche violet dans les rues de Havre. L'homme de l'avion marchait juste derrière moi, légèrement sur le côté. Il portait cinq boîtes de cerises au chocolat sous le bras.

« Vous devriez vous regarder, fit-il. Un adulte, et aussi...

– Dites, on ne pourrait pas se débarrasser de cette saloperie ? On n'est quand même pas obligés de l'emmener avec nous.

– C'est pour ma fille – je vais l'emballer et le lui envoyer. Le problème avec vous, c'est que vous n'appréciez pas les bons vieux sentiments d'autrefois. » Il continuait à marcher en retrait. « C'est le problème avec vous, les jeunes cow-boys.

– En tout cas, je commence vraiment à me sentir idiot.

– Vous voyez.

– Et puis, vous ne croyez pas qu'on risque d'attirer un peu trop l'attention ? Vous êtes censé être un hors-la-loi. »

Deux filles s'avançaient vers nous. L'une balançait son sac qui venait frôler les fesses de l'autre au rythme de leurs pas. Je dissimulai mon visage derrière la tête de l'ours en peluche. Elles pouffèrent de rire. L'homme de l'avion leur offrit à chacune une boîte de cerises au chocolat. Il fit claquer ses doigts sur son front en une espèce de salut. Les deux filles se consultèrent du regard ; elles pouffèrent de nouveau, mais acceptèrent. Elles s'éloignèrent en examinant les boîtes sur toutes les coutures.

« Vous ne pourriez pas me porter ça un instant ? demandai-je.

– Vous avez vu leur expression ? Que ça vous serve de leçon. » Il accéléra le pas. « Donner, c'est se gagner le paradis.

– Qu'est-ce qu'il y a de si extraordinaire ? » dis-je en le rattrapant. « Tout le monde peut faire cadeau de quelques bonbons.

– Mais j'ai rendu deux êtres humains heureux. Et vous, vous en avez rendu combien heureux aujourd'hui ? »

Je fis passer l'ours en peluche sur mon autre bras.

« Vous ne saviez simplement pas quoi faire de ces cerises au chocolat.

– Je les ai rendues heureuses, c'est ça qui compte.

– Vous leur ferez tomber les dents plus vite, oui. » Je dus élever la voix pour couvrir les accents de rock qui se déversaient d'un magasin de disques. « Elles perdront leurs dents plus vite, c'est tout. »

L'homme de l'avion n'écoutait pas. Il regardait les vitrines. Je le suivis dans une boutique d'articles de sport. Il fit tournoyer un présentoir circulaire de cannes à pêche jusqu'à en sélectionner une qui l'intéressait. Il en fouetta l'air à deux ou trois reprises, effectua le geste de viser avec pour en vérifier l'alignement, et la reposa. Il en essaya une autre, puis une autre, puis une autre encore, procédant à chaque fois de la même manière. Le vendeur, qui feignait d'arranger des chaussettes en Thermolactyl, le surveillait du coin de l'œil.

« Celle-là est bien, dis-je. C'est la même que la mienne.

– Trop rigide, fit-il.

– Huit dollars quatre-vingt-quinze – une excellente affaire », intervint le vendeur.

Il avait l'air d'un étudiant de l'université en haut de la

colline. Il flottait dans sa chemise blanche trop grande de deux tailles.

L'homme de l'avion s'approcha du rayon des fusils ; il les épaula et pressa la détente pendant que le vendeur tressaillait à chaque claquement du percuteur. Il finit par acheter un couteau de chasse qu'il accrocha à sa ceinture. Le vendeur fit remarquer que c'était également une excellente affaire. On sortit de la boutique.

« Vous savez, il vaut mieux qu'on voie une partie du couteau. Sinon, c'est considéré comme une arme cachée.

– Vous croyez que ça a de l'importance pour un homme qui fuit la justice ? »

Nous longeâmes le trottoir en silence jusqu'à ce que la Route 2 ne soit plus qu'une portion de ligne droite bordée de drive-in, de marchands de voitures et d'usines de parpaings. Bien que transpirant l'un et l'autre, on dépassa le bowling et le parc d'exposition de caravanes, puis on s'arrêta en face de l'abattoir. Une colonne de fumée noire s'échappait de son unique cheminée. La route disparaissait derrière une colline.

« Des cochons, dis-je. Un jour, un type m'a pris dans son camion. Il livrait des cochons.

– Il y a quelque chose là-haut ? » demanda-t-il en désignant le sommet de la colline.

« Pas à ma connaissance.

– Vous en avez vu une qui vous plaît ?

– Une quoi ?

– Une voiture, bon dieu !

– Oh ! » Je me retournai. « Ça, c'est une autre histoire.

– Des cochons, avez-vous dit. »

Il paraissait dégoûté.

« Quoi ?

– Je parie que cet ours commence à peser, dit-il.

– Assez, oui.

– Donnez, on va échanger. Je ne voudrais pas profiter de vous. »

Il me prit l'ours en peluche et me tendit les trois boîtes de cerises au chocolat. On revint sur nos pas.

« J'ignorais que vous aviez une fille », dis-je.

Je ne sais pas pourquoi, mais les bonbons me faisaient penser à la serveuse dans ce bar de Malta.

« Eh bien, si, elle a une tache de vin là, dit-il en tapotant son cou.

– Elle est jolie ?

– Une beauté classique. Je vais emballer cet ours et le lui envoyer.

– Elle habite par ici ? demandai-je.

– Vous vous foutez de moi ! Puisque son mari est astronaute !

– Vraiment ?

– Enfin, c'est-à-dire qu'il n'a pas encore réellement volé... mais ils habitent Houston. Du moins, c'est là que je vais expédier cet ours.

– Je pensais justement à cette soirée à Malta...

– Merci de me la rappeler.

– Vous vous souvenez de cette barmaid ?

– Comment pourrais-je l'oublier ! Une petite salope de menteuse et de vicieuse.

– Elle disait que vous la connaissiez – d'avant.

– Vous vous foutez de moi ! »

Il me lança un regard.

« Mais pourquoi aurait-elle menti ? » demandai-je.

Un semi-remorque ralentit derrière nous. Le bruit des pneus sur le gravier nous fit faire un bond sur le côté. Lorsque le camion parvint à notre hauteur, l'homme de l'avion pressa sa main sur sa tête comme s'il portait un chapeau. Le nuage de poussière engloutit la première moitié de sa phrase :

« ...les artifices du monde !

– Elle était au courant pour la tache de vin de votre fille, criai-je.

– Un pur hasard. Vous ne comprenez donc pas ? Elle en veut à mon argent.

– C'est avec ça que vous avez pris la fuite ?

– Avec quoi d'autre, sinon ?

– Est-ce que je sais, moi – des documents secrets, peut-être. »

Il garda le silence.

On s'arrêta devant un marchand de voitures d'occasion près du concessionnaire Ford. C'était plein de Cadillac, de Thunderbird, de Pontiac, de Ford et de Chevrolet, toutes bien lavées et briquées, dont les pare-brise, la peinture et les chromes brillaient dans le soleil de l'après-midi. J'en désignai deux qui me semblaient convenir à nos desseins, une Chrysler blanche intérieur rouge et une Bonneville avec levier de vitesse au plancher. L'homme de l'avion fronça les sourcils sans rien dire. Puis il s'enfonça au milieu des voitures. J'étais demeuré au niveau de la première rangée et par-dessus la forêt de toits multicolores, je le vis s'arrêter avec une grimace devant un toit bleu.

C'était celui d'une Ford Falcon bleue, bleu décoloré, bleu terne, bleue partout. Appuyé contre elle, le regard rivé sur une petite caravane, nous attendîmes le vendeur parti préparer les papiers. L'ours en peluche était déjà installé sur le siège, prêt pour le voyage.

« Ça m'étonnerait qu'on arrive à sortir du parking avec », dis-je.

Le vendeur ne paraissait même pas content de s'en débarrasser. Il posa les papiers sur le capot et me fit signer à deux ou trois endroits, puis il me donna les clés et l'homme de l'avion lui donna deux coupures de cent dollars, une de cinquante et une de dix.

Elle refusa de démarrer. Le vendeur alla chercher un

mécanicien au garage Ford, qui tripota les fils, ôta la tête de delco, puis tapa à deux reprises sur la bobine à l'aide de son tournevis. Tout semblait en ordre. Alors, tous les trois, grognant et jurant, me poussèrent sur le bas-côté gravillonné de la route. Lorsque la voiture atteignit une vitesse suffisante, j'embrayai et le moteur toussa deux ou trois fois – puis, à mon immense surprise, il partit. Je débrayai en accélérant et laissai la Falcon s'arrêter. L'homme de l'avion s'affala sur le siège. Il mit une bonne minute à reprendre son souffle. J'allumai la radio.

« Où sont les cerises ? demanda-t-il.

– Ah ! zut. »

Je fis demi-tour. Elles étaient restées sur le capot de la Chrysler blanche. Les cerises devaient sans doute flotter dans une soupe de chocolat, mais je les récupérai malgré tout et les lançai sur le siège arrière.

Je cherchai une station sur la radio, puis j'appuyai sur les divers boutons avant de glisser la main sous le tableau de bord pour vérifier si elle chauffait. Le vide.

« Bon, allons manger un morceau – ces exercices m'ont ouvert l'appétit. »

On roula jusqu'en ville en première afin de recharger la batterie.

« Garez-vous devant cet hôtel. »

Il prit l'ours en peluche dans ses bras. Je fis ronfler un peu le moteur avant de le couper. Un nuage de fumée bleue s'infiltra par les vitres arrière.

« Elle a dit qu'elle était la sœur de votre fille. »

Il ne répondit pas.

« Elle a dit qu'elle dansait pour vous – que vous la payiez un dollar pour danser. »

Il ouvrit sa portière.

« Avec quelle somme d'argent vous vous êtes enfui ? »

Il pénétra dans l'hôtel. Je l'observai à travers la baie vitrée. L'employé de la réception lui tendit sa clé ainsi qu'un bout de papier qu'il étudia avec attention avant de se précipiter dans l'escalier.

J'explorai de nouveau sous le tableau de bord. Il n'y avait pas de radio. Je descendis, rentrai l'antenne, puis m'adossai à la carrosserie. Je jetai un coup d'œil en haut de la rue, et alors je la vis, elle, la fille qui m'avait volé mon fusil et mon rasoir électrique. Plantée devant le Silver Dollar, elle semblait attendre quelqu'un. Je reculai en me baissant. Bien qu'elle fût assez loin, je savais qu'elle me reconnaîtrait. Dougie lui avait sans doute raconté que je la cherchais. Ce qui ne pourrait qu'aiguiser sa vue. Je tirai l'antenne. Dougie apparut aux côtés de sa sœur, le doigt pointé vers moi. Il lui prit le bras. Elle secoua la tête, et ses cheveux noirs coupés court flamboyèrent l'espace d'un instant. Il la lâcha et entra rapidement au Silver Dollar. Je percevais comme un défi dans sa façon de se tenir, les pieds un peu écartés, les yeux fixés sur moi, mais sa robe bleue au-dessus des genoux et ses cheveux courts lui donnaient un air déconcerté, pareil à celui d'un enfant surpris à traîner dans les couloirs de l'école. Elle pivota et se dirigea vers chez Gable, jetant un coup d'œil par-dessus son épaule avant de pousser la porte.

Je voulais la suivre, oublier l'homme de l'avion et ses histoires de fou, sa fille et l'ours en peluche violet. Je voulais lui payer un verre, m'asseoir à côté d'elle et lui parler de ce dont nous parlions avant qu'elle ne me fauche mon fusil et mon rasoir électrique. Je voulais aller la rejoindre, mais je ne bougeai pas. Je ne savais pas comment l'aborder. On comptait sur moi pour la faire souffrir, et je pensais moi aussi qu'elle méritait de souffrir un peu. Après, je pourrais lui offrir un verre.

L'homme de l'avion s'était changé. Il portait une chemise blanche, un foulard bleu foncé noué autour du cou, une veste de sport à rayures bleues et blanches et un pantalon blanc. Il avait lustré ses bottes de safari

« Qu'est-ce que vous en pensez ? me demanda-t-il.

– Vous avez l'air du parfait dandy.

– C'est exprès, exactement le genre à prendre l'avion à Calgary, vous ne croyez pas ?

– Je ne sais pas – c'est là qu'a lieu le fameux rodéo.

– Eh bien, il doit y avoir un tas de dandys là-bas. À propos, nous allons avoir un peu de retard – nous partirons à minuit. »

On mangea chacun deux steaks panés. Pendant que l'homme de l'avion m'exposait les détails de son plan, j'éprouvais un curieux mélange d'excitation et de tristesse. Si j'allais jusqu'au bout, je deviendrais quelqu'un d'autre et la fille ne signifierait plus rien pour moi. La voir ainsi devant le Silver Dollar avait fait naître en moi une chaleur qui m'étonnait, que je ne me souvenais pas d'avoir ressentie depuis des années. C'était plutôt drôle que ça se produise maintenant, alors qu'elle me laissait froid quand nous vivions ensemble.

« J'ai une affaire à régler, dis-je.

– Là, maintenant ? Mais il vaudrait mieux qu'on ne se quitte pas.

– Non, il faut que je m'en occupe ce soir. Bon, disons que je vous retrouve au Palace Bar à dix heures. C'est juste en face. »

Mais je ne me rendis pas tout de suite chez Gable. J'avais d'abord besoin de marcher un peu seul. Je traversai et me dirigeai vers l'autre rue principale de Havre. Je passai devant l'endroit où l'homme de l'avion avait donné les cerises au chocolat aux deux filles. Un peu plus loin, j'arrivai à un cinéma. On jouait deux films, un western avec John Wayne, l'autre avec Randolph Scott. Tous les deux me semblaient familiers. On devait sans doute les projeter au moins une fois par an dans toutes les villes du Montana depuis vingt ans. Sur l'affiche, Randolph

Scott, chemise rouge croisée, chapeau blanc et colts étincelants me souriait cruellement.

Les vingt années s'effacèrent, et je fus de nouveau un enfant. Mose et moi.

Tu crois qu'il tire aussi bien de la main gauche que de la droite ?

Je parie qu'il est vachement rapide. Ces types-là s'entraînent.

Mais je te parle de la précision. Tu as déjà tiré au revolver de la main gauche ?

Je ne me souviens pas. Ça doit être difficile de viser. Mais regarde, il n'a même pas besoin de le faire.

Oui, mais le manier, je veux dire. Essaye.

Il est peut-être gaucher.

Et sa main droite dans ce cas ?

25

L'automne, cette année-là, fut bref. La chaleur lourde d'août se prolongea en septembre, sans que rien ne vînt marquer le changement de saison. Les jours ne raccourcissaient pas, les nuits ne se rafraîchissaient pas et les étoiles ne blanchissaient pas. Il semblait que les journées torrides rythmées par le bourdonnement des mouches ne finiraient jamais, que l'été ne s'achèverait pas avant Noël. Le soir, les moustiques pullulaient devant la fenêtre de la cuisine, et les merles noirs se cachaient au fond des canaux d'irrigation parmi les roseaux rabougris.

Puis, vers la fin septembre (alors que tout le monde évoquait les années passées), l'automne arriva d'un seul coup. Les feuilles des peupliers prirent une teinte vieil or et tombèrent ; les champs de luzerne, depuis longtemps fauchés, noircirent sous un ciel d'encre qui se refusait à pleuvoir. Les moustiques s'évanouirent un soir comme par magie, et les merles se rassemblèrent pour partir vers le sud. La nuit, le ciel se dégageait et se parsemait d'étoiles qui n'émettaient aucune lumière, de sorte qu'on les regardait avec le sentiment de ne pas les voir mais de contempler d'obscurs points de blanc qui défiaient les distances et se trouvaient à la fois à des milliers de kilomètres et à quelques centimètres de son visage.

Et puis ce fut l'hiver. Il ne neigeait pas et bien que personne ne voulût l'admettre, nous ressentions tous la morsure de l'hiver dans nos os. C'est par l'une de ces nuits glaciales que mon père, First Raise, qui n'avait même pas encore eu le temps d'organiser sa chasse à l'élan dans Glacier Park, décida de ramener le bétail de son pâturage d'été. Nous nous y attendions, aussi nous ne fûmes pas surpris. First Raise dit à Mose: « Ton frère et toi, vous allez chercher les vaches demain. » Teresa nous prépara notre déjeuner – sandwiches et œufs durs. On se coucha de bonne heure, mais nous savions que nous ne dormirions guère, tout occupés à réfléchir aux différents endroits de la prairie où le troupeau pouvait être à cette époque de l'année. Blottis sous l'édredon décoré d'étoiles, on élabora des itinéraires nous permettant d'explorer les ravins et les réservoirs, on dressa la liste des buttes d'où l'on pourrait surplomber les replis de terrain et les berges encaissées susceptibles de protéger les vaches des rafales de vent. Dans la vitrine du buffet près de la porte, les cercles de pointes de flèches, le couteau de poche et les crânes, ainsi que la collection de pièces paraissaient aussi lointains que les étoiles.

First Raise vint nous réveiller vers quatre heures du matin. Sans un mot, il secoua Mose, puis moi (mais je le guettais). On s'habilla rapidement – caleçon long, jean, chemise de flanelle et bottes. Puis, comme nous traversions le séjour à pas de loup, ma grand-mère, qui était déjà vieille même à cette époque, nous suivit des yeux sans faire mine de nous reconnaître.

Mon père nous fit chauffer le petit déjeuner sur la cuisinière à bois. Il portait un Levi's et une chemise de travail. Il devait réparer des machines dans le courant de la journée. On l'observa pendant qu'il cassait les œufs sur le bord de la poêle et se reculait d'un bond tandis que le blanc se mettait à frire dans la graisse. Puis, prenant une autre poêle, il lança des tranches de pain dans le beurre frémissant qui siffla et répandit une odeur pénétrante à travers toute la cuisine.

First Raise disposa les assiettes devant nous. Les œufs étaient jaunes, blancs et noirs, le pain doré. Il alla nous remplir à chacun un verre d'eau dans le seau à côté de l'évier, puis il s'assit et nous regarda manger en silence. Les œufs avaient la consistance du caoutchouc. First Raise sourit. L'aube pointait.

Puis il nous servit une tasse de café et nous regarda boire. Il allait bientôt faire jour. Il nous aimait. Il nous regarda avaler la mixture amère. Dans le séjour, près du poêle à pétrole, ma grand-mère ronflait. Derrière la porte fermée qui donnait sur la cuisine, Teresa dormait peut-être ou peut-être pas. First Raise nous regarda finir notre café, puis il se leva.

« Commencez par la clôture ouest », dit-il.

Mose avait quatorze ans.

« D'abord la clôture ouest. C'est par là qu'elles étaient la dernière fois ; c'est là que sont les meilleurs pâturages », dit-il.

J'avais douze ans.

On se dirigea vers le corral. Il faisait presque jour. Bird, alors âgé de trois ans, huma l'air matinal pendant que je serrais sa sangle. Mose sella le bai, puis sauta sur son dos. First Raise se tenait sur le seuil de la maison. On agita la main. Il sourit.

Les chevaux, muscles tendus, nous portaient sans effort. À l'est, les premières lueurs orangées coloraient le ciel. On franchit les champs de luzerne, la plaine craquelée. Mose mit pied à terre pour ouvrir la barrière. Les chevaux s'élancèrent sur la route, apeurés par la surface dure qui résonnait sous leurs sabots et tonifiés par l'air frais du matin. Il n'y avait pas de voitures.

On longea la clôture ouest, débusquant les vaches des ravins et des bords à pic de la rivière. Presque toutes étaient flanquées d'un veau. Les opérations se déroulèrent sans difficultés, d'autant que les taureaux qui flânaient devant nous se montraient eux-mêmes coopératifs. De temps en temps, un veau se détachait du troupeau, et Mose ou moi galopions à sa poursuite pour le ramener. La rouanne aux yeux fous, demeurée vide cette année-là, ne quittait cependant pas les autres. Pareille à une vieille fille, elle esquivait les ruades des petits veaux avec un air de dignité outragée.

Vers le milieu de la matinée, nous atteignîmes le premier réservoir. Il était presque à sec, réduit à trois ou quatre mares boueuses dans lesquelles les vaches pouvaient néanmoins s'abreuver. Mose grimpa au galop le flanc d'une butte pour aller examiner les alentours. Bien en selle sur le bai, le chapeau de paille qu'il avait mouillé pour le reformer enfoncé jusqu'aux oreilles, il se contenta de le talonner à deux ou trois reprises.

Il commençait à faire un peu plus chaud, et pourtant le bétail restait à côté du réservoir, sans brouter ni boire. Venus du sud-ouest, les premiers nuages apparurent, comme à présent chaque jour, au-dessus de Bear Paws. D'ici à deux heures, ils auraient obscurci le soleil, mais ils n'apporteraient pas de pluie, rien qu'un vent cinglant.

Du haut de la butte, Mose me fit signe de continuer vers l'est, puis il disparut sur l'autre versant. J'éperonnai Bird qui, galopant par-ci, par-là, mordillant un veau qui traînait, mit en branle le troupeau. Celui-ci était encore maigre, composé d'une vingtaine de vaches et de leurs veaux ainsi que des deux taureaux qui trottaient au milieu.

Une heure plus tard, Mose revenait par le sud, poussant devant lui cinq ou six vaches accompagnées de leurs veaux. Dès qu'elles aperçurent les autres, elles partirent au petit galop en meuglant.

Mose sauta à terre. Les épaules et les flancs de son cheval luisaient.

« Saloperies de guenons, dit-il.

– Connasses de gros culs d'abruties », renchéris-je.

Il éclata de rire et fouetta la croupe de la vache aux yeux fous avec l'extrémité de sa corde.

« J'ai vu trois coyotes, reprit-il. Dont deux petits.

– J'aurais bien voulu avoir mon fusil, dis-je. Je les aurais massacrés.

– Tu n'as plus de cartouches.

– J'en ai peut-être encore deux ou trois, mais tu ne le sais pas.

– Je me demande si je ne vais pas aller chasser les cerfs que j'ai vus l'autre jour.

– Il n'y a pas de cerfs du côté du bras de la rivière, dis-je.

– Alors, comment se fait-il que j'en ai vu quatre l'autre jour ?

– Et comment se fait-il que tu les voies toujours quand il n'y a personne avec toi ? Je n'ai jamais entendu quelqu'un dire qu'il avait vu des cerfs.

– Il y avait un grand mâle, un dix-cors. »

Il me tendit une tablette de chewing-gum. Juicy Fruit. J'ôtai le papier et la glissai dans ma bouche. Elle était toute cassante.

« N'empêche, demain je prendrai peut-être mon fusil, dis-je.

– Ne me fais pas rigoler ! Tu serais incapable de toucher le cul d'un taureau avec une sarbacane. De toute façon, on ne reviendra pas ici. On va toutes les récupérer aujourd'hui.

– Il y en a combien ? »

Mose tira un bout de papier de sa poche de derrière.

« Soixante-dix-huit vaches et quatre taureaux – non, trois, il ne faut pas compter celui qui est sur le pâturage des Rankin. »

Au sud-est, les ombres noires des nuages glissaient sur les collines brûlées.

« On a intérêt. Il risque d'y avoir une tempête de neige demain ! »

Le soleil disparut.

On mangea notre déjeuner sous une berge encaissée, à l'abri du vent.

26

Randolph Scott m'avait étendu raide d'un souvenir que je m'étais toujours efforcé d'oublier. Je ramenai mes pensées vers les bars. Il faisait presque nuit mais nulle étoile ne brillait, pas même celle du berger; la lune formait un globe pâle au-dessus de la poste. Des voitures remplies d'adolescents commençaient à circuler dans le centre. Les lampadaires s'allumèrent soudain, répandant une lumière aveuglante qui décrut puis se stabilisa. Les aiguilles de la pendule au-dessus de la banque indiquaient 8 h 54.

Je traversai le carrefour pour me diriger vers chez Gable. Je jetai un coup d'œil sur ma Falcon. Garée le long du trottoir, elle disparaissait presque entièrement derrière un break étincelant. Puis mon regard accrocha l'enseigne du Palace Bar. L'homme de l'avion se trouvait à côté de la porte ouverte. Je m'arrêtai. Il s'entretenait avec une femme. Elle me tournait le dos, et ses hanches me paraissaient familières. Elle portait un ensemble veste-pantalon jaune serré à la taille. Ses hanches s'arrondissaient sous la veste et s'effilaient sur de longues jambes qui, elles aussi, me paraissaient familières. Non, des jambes ne peuvent pas paraître familières, par contre des hanches... *beau petit cul* – c'était sûrement la barmaid de Malta. Qu'est-ce qu'elle fabriquait ici? L'homme de l'avion lui posa la main sur l'épaule et désigna l'hôtel. Puis j'aperçus son visage. C'était elle. Je me représentai la chambre d'hôtel de Malta – *le bouton entre ses seins qui sautait* –, elle était bien montée dans ma chambre. Elle traversa et entra dans le hall. L'homme de l'avion la suivit des yeux, puis il se tourna en direction du Palace Bar.

Je regardai en bas de la rue, vers l'endroit où j'avais vu cet après-midi, devant chez Gable, la fille qui m'avait volé mon fusil et mon rasoir électrique. Je tâtai les clés de voiture dans ma poche. Deux étaient identiques, la troisième plus courte, à tête ronde. Je les sortis pour les examiner. Une étiquette blanche pendait, accrochée à l'anneau qui servait de porte-clés : « Falcon (s'en débarasser d'urgance !). » Je les lançai en l'air. Elles retombèrent entre deux voitures avec un tintement.

Elle était au bout du bar. Il ne me fallut qu'une fraction de seconde pour la repérer parmi la foule d'Indiens qui riaient et criaient. Assise jambes croisées, elle contemplait sa cigarette allumée. Sa jupe était retroussée sur ses cuisses brunes et élancées. Au milieu du vacarme, le juke-box hurlait une bonne vieille chanson :

De la solitude au mariage
J'ai joué un as et j'ai gagné une reine

« Comment ça va ? » demandai-je en m'installant à côté d'elle.

Elle m'accorda à peine un regard. Ses yeux étaient sombres.

« Tu n'aurais pas dû venir ici, murmura-t-elle.

– Ne t'en fais pas. Tu crois que ce fusil est tellement important pour moi ? »

Elle écarta cette idée d'un mouvement de sa cigarette.

« Ce n'est pas à ça que je pensais.

– Je n'ai même pas réussi à trouver une prise pour ce rasoir électrique. Je l'avais gagné. »

Un verre ballon de crème de menthe était posé devant

elle sur le comptoir. Je m'imaginais sentir la douceur de son visage que j'effleurais du regard. Hormis un creux noir sous les pommettes, on aurait pu la prendre pour une écolière. Sa robe lui dénudait le dos jusqu'à la taille, un dos aussi lisse que son visage. Sous l'éclairage violent, ses cheveux raides et coupés court luisaient comme du goudron. Elle se passa le doigt sur la lèvre supérieure, signe de soudaine agitation.

Je regardai autour de moi. « Qu'est-ce que tu as ? Pourquoi es-tu si nerveuse ? » D'un seul coup, moi aussi je devenais nerveux. Mes pensées papillonnèrent un instant, puis se reportèrent sur l'homme de l'avion et son histoire de complot. Je commençais à croire que la fille y jouait un rôle.

Mais ce n'était pas pour ça qu'elle s'inquiétait.

« Dougie et deux de ses copains vont te casser la figure », souffla-t-elle.

Les yeux fixés sur ses hanches, je hochai stupidement la tête, espérant qu'elle racontait un mensonge. J'étudiais son expression. Ce n'était pas un mensonge. Mon palais se dessécha et ma langue s'en détacha avec un léger claquement.

« Pourquoi ?

– Il s'imagine que tu le cherches ; que c'est pour ça que tu es venu, alors il préfère prendre les devants. »

Mon air dut l'amuser, car elle sourit. Elle avait les dents vertes à cause de la crème de menthe.

« Où est-il en ce moment ?

– Il te cherche. Il veut t'avoir par surprise. » Son ton était compatissant mais impersonnel. « Ça ne me plaît pas. J'aime les combats à la régulière.

– Merci.

– J'ai essayé de le convaincre, tu sais. Je déteste ce genre de choses. » Elle s'exprimait comme une adulte, mais aussitôt elle ajouta : « Je t'ai manqué ?

– D'après toi, il est où ? »

Irritée, elle courba les épaules et but une gorgée.

Je lançai un coup d'œil derrière moi. Trois femmes se tenaient devant le juke-box. Elles consultaient les titres et ondulaient des hanches au rythme d'un slow. L'une d'elles était pieds nus. Elle avait les pieds plats.

« Écoute, repris-je. On devrait peut-être partir d'ici. Aller ailleurs. J'ai une voiture maintenant. »

Puis la mémoire me revint. J'avais jeté les clés dans le caniveau. Je me levai pour sortir.

« Ne t'énerve pas. » Elle décolla ses mains du comptoir et appuya ses paroles d'un geste d'apaisement. « Du calme. Il vient juste de partir ; il ne reviendra pas avant un moment. »

Elle se tourna vers moi, croisa les jambes, et sa robe bleue remonta encore plus haut. Bien que très mince, presque maigre, elle avait des cuisses longues et soyeuses. C'était ce qu'elle avait de mieux. Aussi je me rassis, adossé au bar.

« C'est une nouvelle robe », dis-je.

Ses dents vertes dansèrent dans la lumière.

« Elle te plaît ?

– Elle est assez jolie. Tu la remplis plutôt bien. Encore qu'elle soit limitée au minimum, dis-je en contemplant son dos nu.

– C'est un reproche ? Il fait si chaud.

– Peut-être que si tu te rangeais un peu, tu n'aurais pas si chaud. »

Elle ignora ma remarque.

« Je n'aime pas la violence, dit-elle.

– Moi non plus, pas particulièrement. »

J'explorai de nouveau la salle du regard, m'attendant plus ou moins à voir Dougie surgir devant moi, mais rien ne semblait changé. Deux hommes installés dans un box paraissaient se consoler dans les bras l'un de l'autre. Une des femmes du juke-box les engueulait. Elle leur balança un crachat qui atterrit sur la table. L'un des deux hommes leva le bras pour parer un éventuel deuxième jet, mais elle se retourna vers l'appareil, se tortillant au son de la musique.

Je commandai deux crèmes de menthe. Mes mains tremblaient. J'ignorais si c'était de peur, d'amour ou de désir.

«Pourquoi tu ne te ranges pas? demandai-je à mes mains.

– Réglez-moi tout de suite», exigea le barman. Il avait des cheveux blonds clairsemés.

Après son départ, je repris:

«Si tu te rangeais, tu t'en tirerais bien mieux; crois-moi, Agnès, tu serais plus heureuse.

– Tu m'ennuies, dit-elle.

– Tu devrais apprendre un métier, la sténo. On demande partout des secrétaires.»

Elle me regarda comme si elle ne me reconnaissait pas.

«La sténo? s'écria-t-elle d'une voix perçante.

– Oui, tu es jeune. J'en parlais justement avec une femme; on gagne bien sa vie...

– La sténo, murmura-t-elle à son verre.

– C'est indispensable.»

Je voulais me sentir bien, détendu, mais quelque chose me retenait. Je n'avais pourtant plus peur. Sans prévenir, un sentiment de résignation s'était insinué en moi. J'étais calme, mais je ne pouvais pas dire que je me sentais bien. Il s'agissait peut-être d'une forme d'amour. Mes mains ne tremblaient plus. Dans l'épaisse lumière, je ne distinguais pas de poils sur leurs dos. Je ne sais pas pourquoi, mais ça me gênait.

«Qu'est-ce que tu as?»

Elle ôta l'une de ses chaussures blanches de collégienne et la secoua pour la débarrasser d'un caillou.

«Je ne suis pas heureux, Agnès.

– Elle est bonne, celle-là ! Qui donc l'est ? »

Je cachai mes mains.

« Pas toi ? »

Elle parut perplexe. Dans ses yeux noirs, je lus la raison pour laquelle je l'avais ramenée à la maison ce jour-là. Ils renfermaient une promesse de chaleur, de vie qui dépassait cette existence misérable faite de beuveries, de baises et d'hommes comme moi.

Je lui effleurai le bras.

« Partons », dis-je.

Ses yeux esquissèrent un mouvement et perdirent leur profondeur.

« Mais j'ai une voiture, insistai-je. On peut aller n'importe où, à Great Falls. »

Une main s'abattit sur mon épaule et me fit pivoter. Dans la fraction de seconde qui suivit, j'eus le temps d'apercevoir au-delà de l'énorme poing qui m'arrivait dessus les visages tristes des hommes dans le box.

27

Le vent sifflait au-dessus de la berge à pic où Mose et moi avions trouvé refuge pour manger les sandwiches et les œufs durs préparés la veille par Teresa.

« Il va sans doute y avoir une tempête de neige demain, dis-je.

– Ne t'en fais pas. On en a déjà récupéré plus de la moitié et je parie que les autres sont en bas dans ce ravin près de la clôture.

– Je n'ai pas envie de bouger. Pour l'instant, je me sens bien où je suis. »

Nous portions tous deux nos vestes de berger boutonnées jusqu'au cou.

« Je ne sais pas ce que tu en penses, dit Mose en se levant et en époussetant son pantalon, mais moi, je tiens à être rentré avant la nuit.

– On joue le dernier œuf à pile ou face ?

– Non, vas-y – j'en ai déjà eu deux. »

On rassembla le reste du bétail dans l'après-midi. Il ne manquait qu'une vache, et comme il paraissait peu probable qu'elle soit demeurée seule dans la prairie, on en déduisit qu'elle avait dû franchir la clôture et passer dans un pâturage voisin. De même que le taureau, elle hivernerait avec un autre troupeau.

« Tu vois, je te l'avais dit, fit Mose pendant que nous poussions les bêtes vers la vallée.

– Tu crois que First Raise va nous demander de chercher cette vache ?

– Comment on pourrait ? À moins de parcourir toutes les prairies. Et ça nous prendrait une vie entière.

– Tu crois que First Raise va partir pour sa chasse à l'élan cet automne ?

– Non.

– Demain, j'achèterai encore quelques cartouches, dis-je.

– Moi, je vais essayer d'avoir ce grand cerf. Peut-être que j'empaillerai sa tête.

– Comme si tu savais le faire !

– Bien sûr que je sais », affirma Mose. Il fouetta le taureau avec sa corde. « Allez, avance, espèce de bouse blanche !

– Saloperies de crottins de cheval ! » hurlai-je dans le vent.

Le bétail pénétra au galop dans la vallée, conduit par la vieille vache desséchée aux yeux fous.

28

« Ça va ? » demanda-t-elle.

J'étais assis sur le trottoir, adossé à un parcmètre. Je regardai autour de moi. Tout me semblait étrange, comme si je voyais au ralenti, alors que rien ne bougeait sauf ma tête. Une femme était agenouillée à côté de moi. Deux enfants penchés par la vitre d'une voiture en stationnement me contemplaient en silence.

« Votre dent est cassée, dit la femme. Vous êtes sorti de là en vol plané, comme je ne sais quoi, mais en marche arrière.

– Laquelle ? fis-je.

– De là, dit-elle en montrant chez Gable.

« Non... je veux dire, quelle dent ?

– Celle-là », répondit-elle en désignant ma bouche. « Vous deviez vous sentir drôlement en forme pour entrer là-dedans et déclencher une bagarre pareille. »

Je passai ma langue sur le bord raboteux du chicot. Le sang commençait à faire une croûte sur ma lèvre supérieure.

« Votre nez aussi est un peu enflé – sinon, vous n'avez pas l'air trop moche. » Elle leva les yeux vers la voiture garée derrière moi. « Ça vous intéresse, bande de sales gosses ? »

Le garçon, âgé de cinq ou six ans, se fourra le doigt dans le nez et continua à regarder. Sa sœur se mit à pleurer.

« Comment vous appelez-vous ? demandai-je à mon infirmière.

– Marlene. »

Elle sourit pour la première fois.

« J'ai l'impression que ma tête est mouillée... vous êtes certaine que je ne saigne pas ?

– Ça doit couler dans votre cerveau. » Elle se redressa et se recula d'un pas. « Vous avez besoin d'un verre ? »

Elle portait une chemisette d'homme dont les manches étaient roulées jusqu'aux épaules. Le tissu se tendait sur ses seins et son ventre, mais elle avait un visage agréable, presque joli. Elle sourit de nouveau, dévoilant des dents noircies.

« Pas là, dis-je.

– Non, bien sûr que non. » Elle pouffa. « Je vais aller nous chercher quelque chose. »

Je me tâtai l'arrière du crâne.

« C'est vous qui payez ?

– Oui, si vous me donnez un peu d'argent. »

Elle émit de nouveau un gloussement aigu de petite fille que l'on imaginait mal appartenir à ce grand corps.

Je repassai la langue sur ma dent cassée – c'était l'une des grandes de devant – puis je lui tendis un billet de cinq dollars.

« Tenez, Marlene, et puis vous avez intérêt à revenir. »

29

J'attendis quinze ou vingt minutes.

Et pendant ces quinze ou vingt minutes, le garçon ne me quitta pas des yeux. La fille, que je n'intéressais plus, jouait avec le volant. Elle produisait des bruits de bulles avec sa bouche. Elle tournait le volant dans un sens, puis dans l'autre, essayant de faire bouger les roues. Sous le coup de la frustration, ou de l'ennui, elle se remit à pleurer sans bruit ni larmes, son petit corps tout secoué de sanglots contrôlés. Le garçon ne manifesta aucune émotion quand elle vint se blottir contre lui et poser sa tête sur son épaule. Peu après, elle s'endormit.

Le garçon ne sourit pas lorsque je lui tendis le *quarter*. Il se contenta d'ouvrir la main.

Je remontai la rue en direction de l'endroit où j'avais jeté les clés. Elles étaient toujours là. Je les ramassai et je poursuivis mon chemin.

Quand j'arrivai au Palace Bar, l'homme qui avait déchiré son billet d'avion était parti. Je ne savais pas où il pouvait être. J'allai me nettoyer aux toilettes. Il n'y avait ni serviette ni glace. Je me séchai la figure à l'aide de papier toilette, tâtant avec précaution mon nez tuméfié. J'ignorais si j'avais ou non les yeux pochés.

Au bar, je commandai un petit verre de whisky que je vidai d'un trait. Je faillis le vomir, cependant il contribua à effacer le souvenir d'un coup que je n'avais pas vu partir. J'en commandai un deuxième. « On dirait que vous êtes tombé sur plus fort que vous, mon vieux», fit le barman. Il me désigna du pouce et adressa un clin d'œil à un autre client. Randolph Scott.

«Hé! Warren! appela un homme depuis le seuil. Y se passe des trucs là-bas.»

Le barman se dirigea tranquillement vers la fenêtre. Il essuyait un verre.

«Ah, ouais, ils doivent embarquer un de ces travelos...»

Le client eut un petit rire.

«Non, j'crois pas, Warren. Un type en costume brillant est entré avec eux.

– Encore un de ces hermaphrobites ou j'sais pas quoi de l'université...

– Sacré Warren ! s'exclama une femme près de moi.

– Non, j'crois que c'est du sérieux, cette fois, Warren.»

Je me dressai sur le barreau de mon tabouret. Une lumière rouge tournoyait de l'autre côté de la rue.

Tous les clients s'attroupèrent devant la porte.

«Probablement un des minus de là-haut...

– Sacré Warren!»

La femme semblait ravie.

Je rejoignis les autres, puis je me glissai dehors. Une foule était rassemblée dans le grand carré de lumière devant l'hôtel. Je me précipitai au pas de course.

«Qu'est-ce qui se passe?» demandai-je.

Personne ne me répondit. Les gens se pressaient pour tenter de voir à travers les vitres de l'hôtel.

«Qu'est-ce qu'ils font?»

Tous les visages étaient jaunes à la lumière des lampadaires.

Je contournai les curieux, d'abord par la gauche, puis par la droite, afin d'essayer de m'approcher. Je revins vers la voiture de police. Deux hommes étaient appuyés au coffre. L'un d'eux tenait un appareil photo.

«Qui ont-ils arrêté? demandai-je.

– Je n'en sais rien, moi ! fit celui qui n'avait pas d'appareil photo.

– Comment le saurions-nous ? fit l'autre.

– Je viens d'arriver, reprit le premier. Je suis du journal.

– Mais vous avez dû entendre parler de quelque chose...

– On m'a juste envoyé ici.

– On ne lit pas dans les pensées », dit le premier. Il tripotait son appareil photo.

Je tâchai à nouveau de me frayer un chemin dans la foule, mais en vain. Je retournai auprès des journalistes.

« Le revoilà !

– Ne nous regardez pas. »

Leur attitude m'agaçait.

« Je sais peut-être qui..., commençai-je.

– Ben voyons, et comment vous sauriez ?

– Allez au diable ! »

Une autre voiture de police vint se garer. Celle de la patrouille routière. Quand l'agent fut à notre hauteur, l'un des journalistes lui tapa sur l'épaule. « Que se passe-t-il, monsieur l'agent ? Nous sommes de la presse... » Le policier contempla la main restée sur son épaule. Il s'avança parmi la foule. « Allons, reculez, dégagez ! »

Le premier journaliste me considéra d'un air soupçonneux.

« Et ce serait qui, selon vous ?

– Ouais, qui ? » ricana le second.

J'ouvrais déjà la bouche quand je réalisai que je ne savais pas son nom. « Eh bien, c'est un grand... »

Soudain la foule se tut et s'écarta. L'homme de l'avion, menottes aux poignets, marchait entre un policier et le type au costume brillant. Le policier brandissait le couteau de chasse qu'on avait acheté dans la journée. Costume brillant portait une petite valise écossaise. Derrière eux venait l'agent de la patrouille routière avec l'ours en peluche violet. « Reculez, reculez », marmonnait-il.

Je me faufilais dans l'ombre quand l'homme de l'avion me repéra. Un frisson glacé parcourut mon cuir chevelu. Il dit quelque chose. Je fis deux pas en avant.

« Qu'est-ce qui est arrivé à votre nez ? » me demanda-t-il.

Déjà il montait à l'arrière de la voiture de police qui démarrait. Je m'aperçus que je me tenais tout près de la Falcon. Les trois boîtes de cerises au chocolat étaient posées sur le siège arrière.

« Oui, qu'est-ce qui est arrivé à votre nez ? » demanda le premier journaliste.

Il avait son bloc et son crayon à la main.

30

Je m'installai devant l'hôtel. D'un côté, j'avais envie de prendre la Falcon et de rentrer à la maison, et de l'autre, de revoir la serveuse de Malta. Je ne savais pas pourquoi, mais j'étais sûr qu'elle se cachait encore à l'intérieur dans l'attente que la voie se libère. J'ignorais le numéro de sa chambre et l'employé de la réception n'allait certainement pas m'aider, d'autant que je ne connaissais même pas son nom. Je me sentais de nouveau impuissant dans ce monde d'hommes blancs à l'affût. Mais ces Indiens de chez Gable ne valaient guère mieux. J'étais un étranger pour les uns comme pour les autres, et les uns comme les autres me cassaient parfois la figure.

Je devrais rentrer, me disais-je. Mettre le contact et retourner à la maison. D'accord, ce n'était pas l'endroit idéal, mais c'était le moins mauvais. Peut-être avais-je épuisé tous mes choix.

Je restai donc là, derrière le volant. Une heure passa, puis deux, mais toujours pas de barmaid de Malta. Je descendis et m'approchai de la grande baie vitrée de l'hôtel. L'employé de la réception était plongé dans la lecture d'un magazine. Le hall était jaune et désert.

Marlene arriva tranquillement avec deux packs de bière. Elle me raconta qu'elle me cherchait, mais elle parut étonnée de me voir. Elle tenait les bières dans ses bras, comme si elle rapportait des provisions du supermarché.

«Tu devrais te regarder», dit-elle.

On prit une chambre dans un hôtel gris près de la gare. Le garçon d'ascenseur était aussi gris que les murs gris. L'ascenseur ne marchait pas, nous annonça-t-il.

«Alors, pourquoi vous existez? demandai-je.

– Pour faire monter ou descendre les gens, comme ils veulent», répondit l'homme gris.

Marlene et moi, assis au bord du lit, bûmes deux bières. Chaque fois qu'elle me regardait, ses yeux se mouillaient. À cause de mes yeux à moi, m'expliqua-t-elle. Mes yeux pochés. Je finis par l'allonger sur le lit et lui défaire son pantalon.

Je ne quittai pas la douceur de son corps. Les premières lueurs de l'aube me surprirent affalé sur son ventre, le menton niché dans le creux de son épaule, le regard rivé sur un gros cheveu noir au milieu de l'oreiller blanc. Un rectangle de soleil s'élargit sur le lit, venant encadrer nos deux corps, mais à l'intention de personne. Marlene bougea. Je lui pinçai les narines et un halètement rauque naquit au fond de sa gorge. Ses petits yeux noirs s'ouvrirent.

«Embrasse ma chatte», fit-elle doucement.

J'effleurai ses lèvres du bout du doigt.

«Embrasse ton cul, mon gros tas brun.»

Elle sourit et m'enlaça. Son haleine était chaude et parfumée comme celle d'un enfant. Je m'enracinai en elle.

Lorsque je me réveillai de nouveau, le soleil était déjà haut. La pièce sentait la bière et la transpiration, odeurs familières, et Marlene. Je me dégageai puis me redressai. Un aspirateur bourdonnait quelque part. Je tâtonnai sur la table de nuit à la recherche d'une boîte de bière pleine parmi les vides. Une petite gorgée, et je la reposai aussitôt, incommodé par l'odeur.

Marlene était couchée sur le dos, la bouche ouverte et les jambes serrées. Elle avait des hanches étroites pour sa corpulence; ses seins s'étalaient, petits et doux, sur sa poitrine, et son ventre se soulevait, tendu et brillant. Je plaquai la main dessus, appuyai, et, lorsque je la retirai, il rebondit comme une chambre à air. Plusieurs cigarettes avaient glissé du paquet qui se trouvait dans la poche de sa chemise jetée sur le dossier d'une chaise à côté du lit. J'en allumai une et crachai un nuage de fumée. La tête me tournait. Quand je fermai les yeux, un essaim de papillons apparut et des points bleus, des millions de points bleus, dansèrent derrière mes paupières. Je retombai contre sa cuisse.

Le son étouffé d'une guitare nous parvenait, juste quelques accords. Cela ne semblait être ni l'heure ni le lieu, et pourtant, impossible de se tromper sur ce bruit monotone qui tenait compagnie à un homme. Celui-ci se mit à chanter: «Si tu m'aimais...» Il s'arrêta. Après un long silence, il reprit: «Si tu m'aimais seulement à moitié comme je t'aime...» Nouveau silence, puis: «Tu ne resterais pas... tu ne resterais pas... tu ne resterais pas loin de moi à moitié...» On entendit alors claquer un accord rageur, suivi d'un fracas métallique pareil à celui d'une chaise renversée.

Marlene soupira et voulut rouler sur le côté, mais le poids de ma tête l'en empêcha. Elle inspira, bloqua un instant sa respiration, puis expulsa une rapide bouffée d'air, et le rythme régulier de son ventre repartit.

Je me redressai et la regardai. Une sorte de pitié m'envahit. Son corps nu paraissait si vulnérable, si innocent, que je désirais le couvrir du mien. Je lui caressai le genou et elle écarta les jambes. Le grondement de la circulation dans la rue en bas se faisait assourdissant. Je fermai de nouveau les yeux et je revis la serveuse de Malta, le bouton entre ses seins qui sautait, Malvina, les perles de bain éparpillées au milieu des flacons de parfum, et la fille qui m'avait volé mon fusil dans sa robe bleue très courte, qui se tenait, provocante et désarmée, sur le trottoir...

Je jetai ma cigarette dans le cendrier et je m'allongeai sur Marlene; je m'enfouis en elle, essayant de me fondre dans sa chair – ça ne suffisait pas, ça n'allait pas. Je la voulais vivante. Je m'assis à califourchon sur son ventre. Je l'embrassai dans le cou, sur l'oreille, le nez. Je la secouai, je la chatouillai, je lui pétris les seins.

« Embrasse ma chatte », murmura-t-elle.

Je la giflai violemment.

Sa tête tressauta. Elle ouvrit de grands yeux éteints.

« Bon dieu! pourquoi tu as fait ça? » s'écria-t-elle. Je lui immobilisai les bras avec mes genoux. « Espèce de salaud! »

Je me reculai. Je sentais jouer les muscles de son ventre tandis qu'elle battait des jambes. Sinon, elle ne pouvait pas bouger. Elle tenta cependant de cambrer les reins pour me déséquilibrer, mais lourd et grave comme une pierre, je demeurai planté sur elle.

« Si seulement j'arrivais à me libérer, sale fumier, si seulement... » Sa voix se brisa sur ses dents.

Soudain sa tête s'effondra sur l'oreiller et son corps devint flasque. Mes fesses s'enfonçaient dans son ventre. Elle détourna le visage et se mit à sangloter. « Si seulement j'arrivais à me libérer », et je repensai à la fillette d'hier, à sa frustration, à son frère et à son regard neutre et pourtant curieux. Et moi, je contemplais cette femme en larmes avec la même absence d'émotion, la même curiosité, comme si je regardais un insecte flottant à la surface d'un canal d'irrigation, pas encore mort mais condamné à mourir.

Je la lâchai. Je m'étais comme vidé, et je ressentais ce genre de paix que l'on ressent quand on est seul, quand on se moque de la chaleur, du soleil, des biens matériels ou même du corps d'une femme, à la fois si faible et si fort.

J'enfilai mes vêtements. Les sanglots cessèrent. Je boutonnai mon pantalon, puis je m'assis au bord du lit pour mettre mes chaussures. Pour la première fois, je notai combien elles paraissaient vieilles, usées dessus et dessous, au point que le chat avec la patte levée figurant sur la semelle, à demi effacé, semblait à peine me voir.

Marlene se redressa, l'oreiller serré contre elle, un sein nu, le regard baissé sur la rondeur de son ventre. Ses genoux étaient remontés sous le drap, collés l'un contre l'autre.

« Et tu vas partir comme ça ? » fit-elle.

Je nouai mes lacets.

« Tu as payé la chambre ? »

J'acquiesçai d'un signe de tête.

« Tu as un peu d'argent pour moi ? » Puis elle ajouta avec timidité : « Sinon, c'est pas grave. »

Je tirai quelques billets fourrés en vrac dans ma poche et je les comptai. Puis je les lançai sur le lit.

« C'est tout ce que j'ai.

– Tu pourrais revenir. »

J'ouvris la porte.

« Peut-être.

– Tu pourrais rester et on pourrait parler un peu. »

Je me retournai. Sa chemise était tombée de la chaise. Son jean gisait par terre, le slip à l'intérieur. Je regardai Marlene. L'oreiller dissimulait son ventre, et le sein nu semblait étudier le drap. Elle avait relevé les jambes, si bien que le mamelon ne se trouvait qu'à quelques centimètres de l'objet de son attention. Le visage, lui, demeurait le même que celui qui s'était penché sur le mien quand elle m'avait découvert adossé au parcmètre devant chez Gable. J'évitai ses yeux, parce que eux aussi seraient les mêmes.

31

J'en avais assez de Havre, assez de la ville, assez de rentrer à pied à la maison, avec la gueule de bois, couvert d'ecchymoses, ou les deux à la fois. J'en avais assez des gens, des barmans, des bars, des voitures, des hôtels, mais surtout, j'en avais assez de moi. Je voulais me perdre, me débarrasser de ces vêtements, fuir ce soleil ardent, me tenir sous les nuages et voir mon ombre s'effacer, et moi avec.

Je tâtai d'un ongle la bosse sur mon nez. Elle était sensible, et enflée, si bien que l'arête et les pommettes formaient presque le même plan. Je descendis la rue et passai devant les marchands de voitures, l'abattoir, tandis que chaque pas m'éloignait de Havre. Il n'y avait de glaces nulle part.

TROISIÈME PARTIE

32

L'Oldsmobile roulait, silencieuse et puissante, et paraissait flotter sur les bosses tel un canard sur le bras de la rivière fouettée par le vent à côté du corral. L'homme et son épouse, installés devant, parlaient du paysage comme s'il était mort et que toute vie se fût éteinte. De temps en temps, la femme montrait quelque chose, une cabane ou bien un enclos abandonné près d'un canal d'irrigation, et son mari hochait la tête en poussant un cri d'excitation. Avec sa grande barbe noire et ses cheveux hirsutes, il avait l'air plutôt fruste, ce que démentaient ses oreilles qui pointaient, blanches et délicates, sous un chapeau noir à fond rond et à bord droit. Il ressemblait à un huttérite. Sa femme portait un collier de cuir orné de perles.

Ses questions parvenaient à mon esprit comme un simple élément du ronronnement du moteur. Je me rendais compte qu'il me parlait uniquement à sa façon de regarder dans le rétroviseur. Parfois, je lui demandais de répéter, et parfois je disais oui ou non sans jamais comprendre tout à fait ce qu'il désirait savoir. Après quelque temps, et devant ma confusion mentale, il se concentra sur ses propres pensées et le doigt magnétique de sa femme.

Leur fille était assise à l'arrière, séparée de moi par un cageot de pêches. D'aspect frêle, elle avait une peau aussi blanche que les oreilles de son père. Quant aux siennes, elles disparaissaient sous une masse de cheveux frisottés maintenus par un bandeau bleu et blanc, orné lui aussi de perles. Blottie contre la portière, elle me jetait de temps à autre un coup d'œil ou bien regardait avec indifférence par la vitre défiler le paysage monotone. Au début, je crus ses petits grognements destinés à appuyer les paroles de ses parents, mais en fait, ils se prolongeaient au cours des pauses dans la conversation. Elle semblait mal à l'aise. Ses yeux étaient ternes, comme ceux d'un veau malade.

La voiture ralentit brusquement, et je sursautai. On tourna pour s'arrêter dans un petit chemin. Sans laisser à son père le temps de couper le moteur, la fille se précipita dehors et courut derrière un buisson d'aubépines.

« C'est l'eau, dit l'homme. Elle est de santé délicate.

– On est à White Bear, dis-je. J'habite à cinq milles d'ici.

– Elle a des pilules, mais elle oublie de les prendre, dit la femme.

– Elle n'a jamais été en très bonne santé.

– La bonne santé, c'est primordial, dis-je. Je pourrais peut-être finir à pied.

– C'est ridicule. Par cette chaleur ? Ne soyez pas stupide. »

Le niveau de l'eau dans le réservoir était bas, à un mètre sous le bord du barrage. De chaque côté, les roseaux dépérissaient.

« Il y a des poissons là-dedans ? demanda l'homme.

– Des tortues, répondis-je.

– Vous les mangez, vous les Indiens ? »

La fille sortit de derrière le buisson. Impossible de juger si elle était encore plus pâle que d'habitude après avoir vomi. Elle frissonnait et gardait les mains enfoncées dans les poches de son short. Elle sourit timidement en remontant dans la voiture. Elle était très jolie. Un fragment rouge pendait à la pointe de son menton.

Je lui rendis son sourire, et une violente douleur traversa mon nez enflé.

« Ça va, mon petit ? » demanda la femme.

Mais avant que j'aie pu réagir, la fille répondit que oui, et les eaux de White Bear chuchotèrent au soleil.

L'homme me laissa en face du ranch et m'invita à passer les voir si jamais je venais dans le Michigan, si, si, il le pensait, et il était professeur. La fille me tendit une pêche enveloppée dans du papier gaufré violet. Je la remerciai, et puis lui aussi, et puis sa femme, et après avoir agité la main, je descendis le talus.

« Je peux prendre une photo de vous ?

– Oui », dis-je en m'arrêtant à côté du montant de la barrière.

Il braqua un petit gadget vers moi, puis il régla deux ou trois trucs sur l'appareil qu'il porta devant son visage avant d'appuyer sur le déclic.

33

Je lançai une motte de boue dans le rosier. Rien ne se produisit. J'en lançai une deuxième. Cette fois, j'entendis détaler. Je me mis alors à bombarder le buisson jusqu'à ce qu'une poule faisane s'envole et, rasant le marécage desséché, aille se poser dans un champ de luzerne et se perdre parmi les herbes d'un canal d'irrigation.

Une centaine de mètres plus loin, là où le canal en rejoignait un autre, se dressait le vieux peuplier. Ses hautes branches étaient presque nues et seuls quelques rameaux portaient encore des feuilles. Une branche cassée gisait par terre, près de l'endroit où le faucon était tombé ce jour-là. Mose lui-même dut reconnaître que c'était un beau coup. Calant la 22 contre la roue d'une vieille charrette à foin, j'appuyai sur la détente comme First Raise me l'avait montré, respiration calme, pression ferme et *bang!* le faucon descendit en tourbillonnant. Il se releva dès qu'il heurta le sol. Mose et moi, on se précipita avec des cris de joie, trébuchant sur les sillons du champ. On stoppa à quelques pas de l'arbre. Le faucon était tapi, les ailes déployées pour garder l'équilibre, dont les extrémités effleuraient l'herbe, et ses yeux jaunes en alerte semblaient lancer des éclairs. Il pencha la tête et ouvrit le bec sur une petite langue pâle. Tout en n'émettant aucun son, il donnait l'impression de cracher comme un félin. Les plumes de sa poitrine s'emmêlaient rouges et froissées.

Ce devait être la langue. Nous n'avions pas imaginé qu'un faucon pût en avoir une. Elle paraissait trop personnelle, trop intime, trop humaine. Il ouvrit le bec plus largement encore, sa langue bougea un peu, puis sa tête se fit lourde et s'affaissa. Immobiles et silencieux, nous le regardâmes mourir. Les herbes épaisses le maintinrent dans la même position, mais sa tête flasque pendait sur sa poitrine et les plumes hérissées de son cou s'élançaient vers le ciel. J'éjectai la douille et tournai les talons ; Mose, lui, s'éloignait déjà.

Je jetai le papier violet au milieu d'une touffe d'armoise et mordis dans la pêche. Elle avait un goût amer, métallique, cependant je la mangeai, en partie parce que j'avais rien pris de la journée, mais surtout par loyauté vis-à-vis de la fille malade.

Les rayons du soleil effleuraient les eaux de la rivière quand je pénétrai dans la cour. Je n'étais parti que depuis deux jours, et pourtant la fatigue pesait sur mes os. Je n'avais même pas bu beaucoup, sauf la nuit passée en compagnie de Malvina. Maudite soit-elle, j'aurais pu rester avec elle et m'éviter tous les ennuis ultérieurs.

L'eau dans le seau était tiède. La louche en fer-blanc flottait à la surface. Lame Bull et Teresa n'étaient pas là. La vieille non plus. Son rocking-chair se découpait, vide et sombre, dans le living envahi par l'obscurité. Le siège luisait, comme poli par ses fesses maigres, et le barreau en haut du dossier était devenu gras au contact de ses cheveux. Les magazines de cinéma entassés à côté de l'autre fauteuil avaient disparu. Je fis balancer deux ou trois fois le rocking-chair. Il ne grinça pas. Je regardai autour de moi. Pour la première fois de ma vie, je parvins à examiner la pièce sans éprouver le sentiment de violer l'intimité de ma grand-mère. Je me rendis alors compte que presque rien ne lui appartenait, à l'exception du fauteuil et du lit de camp près du poêle à pétrole. Les couvertures, empilées l'une sur l'autre, étaient soigneusement pliées. De même que l'édredon décoré d'étoiles. Un oreiller, sans taie, surmontait les couvertures. La vieille devait être morte. C'était pour ça que la maison paraissait si calme. Je me laissai tomber dans le rocking-chair, puis me relevai aussitôt. J'allai à la fenêtre écarter le rideau. Peut-être était-ce à la pensée de la mort, mais je la sentais, noire avec une odeur de moisi, tout comme on sent le lait de sa mère dans l'haleine d'un bébé.

La blague à tabac pendait au bout d'une lanière attachée au bras du fauteuil. Je la décrochai et l'approchai de la fenêtre. Elle avait la douceur du chanfrein du vieux Bird. Je devinais à l'intérieur la forme de la pointe de flèche. En dehors de ce fauteuil et de ce lit, de cette blague à tabac et des vêtements qu'elle portait sur elle, je n'avais jamais vu aucune des affaires de la vieille, mais elle devait en avoir d'autres, des affaires qui, dans le temps, auraient été ensevelis avec elle. Et maintenant, près d'un siècle plus tard, elle allait être enterrée comme elle était née, sans rien.

J'entrai dans la cuisine et tournai le bouton de la radio en plastique blanc posée en haut du réfrigérateur. La pièce, avec ses deux fenêtres sur lesquelles donnait le soleil, était encore claire et chaude. Je cherchai la station de Great Falls, puis j'allumai la cuisinière électrique. J'allai prendre le baquet en fer galvanisé dans la remise, versai dedans l'eau du seau, puis le mis sur la plaque. Teresa ne se servait plus de la cuisinière à bois, mais je repensai à First Raise qui préparait le petit déjeuner et faisait frire des œufs et du pain. Il aurait été étonné de voir la cuisinière électrique à côté. Je remplis un autre seau à la citerne, et me déshabillai. Je n'avais pas remarqué les taches de sang sur ma chemise auparavant – il y en avait cinq sur le devant, en chapelet. Je soulevai un des ronds de la cuisinière à bois et fourrai la chemise à l'intérieur.

Un chiffon enroulé autour de chaque poignée, j'ôtai le baquet du feu et le déposai par terre. La vapeur s'échappait en volutes de la surface. Le dimanche soir, Mose et moi, nous prenions notre bain dans ce même baquet, sans changer l'eau, qui virait alors au gris du métal. Mais c'était une saleté différente – poussière des chemins, minuscules bouts de paille – et non pas celle, invisible, qui couvre l'homme de retour de la ville. Je versai de l'eau avec le seau jusqu'à ce que le bain soit tiède au contact de ma main. En raison de ma mauvaise jambe, je ne pouvais pas m'accroupir, et je devais me pencher pour me laver. La musique emplit la cuisine cependant que je me savonnais à l'aide du gant. C'était bon de se retrouver à la maison. La fatigue que j'avais ressentie tout à l'heure dans mes os s'évanouit.

Je levai le seau au-dessus de ma tête et l'inclinai. Je cessai de respirer le temps que l'eau froide coule sur moi en éclaboussant le sol. Je faillis perdre l'équilibre et le baquet oscilla sur son fond bosselé. Je tirai une chaise vers moi et m'assis, les pieds dans l'eau sale. J'avais oublié de prendre une serviette, mais le soleil était maintenant assez bas pour que ses rayons viennent chauffer la cuisine. J'écoutai la musique et, à six heures, les cours de la Bourse de Chicago. Ensuite, j'allai dans la chambre de Teresa et fouillai parmi le linge à repasser à la recherche d'une chemise propre, de sous-vêtements et d'un pantalon.

Après avoir vidé le baquet et essuyé par terre, je sortis nourrir le veau dans le corral. Bird et l'alezan se trouvaient dans le petit pré derrière, en compagnie de la mère du veau. Tous me considéraient avec intérêt.

34

« Elle est morte, dit Teresa en posant le sac de provisions.
– Qu'est-ce qui est arrivé à ton nez ? » demanda Lame Bull.

Teresa lui lança un regard.

« Sa mort a été une délivrance.

– Sérieusement, qu'est-ce qui est arrivé à ton nez ?

– Où est-elle maintenant ? demandai-je.

– On l'a transportée à Harlem. »

Teresa commença à ranger les boîtes de conserve dans le placard.

« On m'a flanqué un marron, dis-je à Lame Bull. Mais pourquoi ? Pourquoi on ne l'enterre pas ici, là où sont tous les autres ?

– C'était une femme bien, dit Lame Bull.

– Parce qu'il faut l'arranger. Pour qu'elle soit présentable. Et le père Kittredge voudra sûrement dire quelques prières pour elle.

– Mais ça aurait été plus facile de l'enterrer ici, dis-je. Elle n'allait même pas à l'église.

– Est-ce que tu veux te fourrer une fois pour toutes dans le crâne qu'on va bien l'enterrer ici ? » La voix était calme. « Quant à avoir l'air présentable, c'est le moins qu'on puisse faire pour elle.

– Procédure habituelle, dit Lame Bull.

– Le prêtre va venir ? »

Teresa se retourna. Elle mettait le lait au réfrigérateur.

« Je ne sais pas, s'il parvient à se libérer.

– Comme le jour où on a enterré First Raise ? »

Elle baissa les yeux.

« Il est très occupé. On l'envoie dans une autre paroisse... dans l'Idaho.

– Tiens, mon garçon, regarde donc ça. »

Lame Bull tira une bouteille de vin d'un sac en papier.

Je ne résistai pas :

« Il me semble que personne de ma connaissance ne le regrettera beaucoup. »

Teresa réagit comme si ces paroles ne la concernaient pas. Elle prit trois verres dans le placard et les posa sur la table.

« En tout cas, personne sur cette réserve... peut-être juste quelques-uns de ses amis à Harlem. »

Rien. Cependant, son expression s'était modifiée. Elle avait toujours affiché un air amer, quoique non dépourvu d'humour, qui nous faisait paraître excessifs, trop désireux de trop parler, de trop boire, de respirer trop fort. En ce moment, la gravité assombrissait son regard et, tandis qu'elle se penchait au-dessus de la table, je constatai, peut-être à cause de la mort de ma grand-mère, combien elle finissait par lui ressembler.

« Je sais ce que c'est, dit Lame Bull. On a tous besoin d'un petit coup de vin. Ça va nous remonter. »

Teresa s'assit au bout de la table. Je lui tendis un verre. La pénombre régnait dans la cuisine. Au milieu du silence, je percevais le bourdonnement aigu des moustiques qui s'agglutinaient devant la fenêtre.

Je bus une gorgée.

« Qu'est-ce que tu en dis ? Je voudrais avoir ton avis.

– Ça va.

– Oh ! Ça va, daigne approuver monsieur. » Il approcha la bouteille. « Ça doit être écrit en français V-I-N R-O-S-E. Comment tu prononces ça ?

– Je ne sais pas. Vin rose, je suppose. »

Il huma le vin.

« J'ai vu un type boire ça un jour à Great Falls. »

Il remit le bouchon.

Teresa n'avait pas touché à son verre. Elle semblait écouter les moustiques, ou penser à sa mère, ou encore au prêtre.

« Je sais ce que c'est – tu es jeune, tu prends les choses au sérieux, et quand tu vieillis, tu achètes une bouteille de bon vin et tu bois à la santé de ceux qui sont encore en vie. » Il leva son verre. « Et puisque je suis encore là, je bois à nous, à tous ceux que j'aime. »

Malgré moi, je l'imitai.

Teresa quitta la table et se dirigea vers la chambre. La porte se referma derrière elle avec un claquement sec.

Lame Bull parut surpris. Il avait toujours son verre à la main.

Le sommier gémit, puis se tut.

« Je sais ce que c'est – cet imbécile de prêtre, et après, ce vampire des pompes funèbres. »

Il soupira et ouvrit un paquet de chips. Puis, comme s'il n'avait pas la force de manger, il le repoussa.

Nous restâmes assis sans parler dans la cuisine gagnée par l'obscurité. Les moustiques continuaient à vrombir. Le jaune du cadran de la radio éclairait le réfrigérateur. Il n'y avait pas de musique, rien que le murmure de l'électricité dans les entrailles du poste.

« Prends donc quelques chips, mon vieux – on a une tombe à creuser demain. »

35

Ce ne fut pas trop difficile. Je me chargeai de la pelle et Lame Bull de la bêche. Celle-ci détachait aisément de grosses mottes de terre brune que je projetais hors du trou. Nous avions commencé de bonne heure et, vers dix heures, nous étions déjà torse nu, inondés de sueur. Le foulard que je portais en bandeau autour du front était trempé. Mais cela n'avait rien de comparable à ce jour d'hiver où nous avions enterré First Raise. À l'aide de deux barres de fer, et d'une bouteille de whisky, on avait attaqué sur près d'un mètre le sol gelé qui partait en éclats comme des pointes de flèches. À la tombée de la nuit, nous n'avions toujours pas percé la couche durcie. Tout autour, la neige était parsemée de petits bouts de terre. Tôt le lendemain matin, la barre de Lame Bull avait enfin traversé. Il avait frappé avec une telle violence que l'outil s'était enfoncé sur plus de la moitié de sa longueur et que nous avions eu du mal à le dégager. En une heure, le cercueil était en place. Au lieu de chagrin face à la mort de mon père, je n'avais éprouvé que le soulagement d'en avoir enfin terminé avec ce trou. Le chagrin, pour ce qu'il y en aurait, devait venir plus tard.

Lame Bull voulait creuser une tombe de un mètre cinquante sous prétexte que c'était la taille de ma grand-mère. Il acceptait à la rigueur d'ajouter quelques centimètres à chaque extrémité au cas où elle aurait un peu grandi au cours de son séjour à l'établissement funéraire, mais je réussis à le convaincre que son cercueil serait sans doute d'une dimension normale, et on alla donc jusqu'à un mètre quatre-vingts. À titre de compromis, nous nous limitâmes toutefois à une profondeur de un mètre cinquante. Mais c'était une belle tombe, bien équarrie, le fond aussi plat que le dessus d'une table, la terre soigneusement empilée sur le côté.

Nous nous assîmes sur le tas de terre pour nous reposer. Lame Bull roula une cigarette qu'on fuma à tour de rôle. Je remarquai alors que, de l'autre côté, la tombe de First Raise s'était affaissée d'une trentaine de centimètres. Bien qu'entourée de mauvaises herbes, la tombe elle-même était nue, juste surmontée d'une croix en mousse de polystyrène ornée de deux fleurs en plastique toutes sales. J'ignorais ce qu'elles étaient censées représenter. Elles étaient blanches, hérissées de pointes jaunes.

À la tête de la tombe se trouvait une plaque de granit rectangulaire où figuraient le nom, John First Raise, et les deux dates entre lesquelles il avait réussi à rester en vie. Elle ne disait rien du plaisir qu'il prenait à réparer les machines et à rire avec les hommes blancs de Dodson, ni comment il avait fini gelé, raide comme une planche, dans le fossé près de chez les Earthboy.

Teresa, plantée sur le seuil de la remise, agita une écharpe. De là, elle semblait grande et belle, le profil pur, si différente de la femme de la veille. Elle portait un corsage blanc et un pantalon rouge. Il devait faire frais dans la maison, car elle avait passé un gilet. L'écharpe blanche suivait les mouvements de son bras au-dessus de sa tête. Au moment où l'on se leva, l'écharpe disparut et Teresa regagna la maison.

Lame Bull lança la cigarette dans le trou.

« Je ne comprends pas pourquoi on ne s'est pas contentés de la descendre, comme pour ton père.

– Teresa avait des dispositions à prendre.
– Pourquoi ne pas s'en occuper après ?
– Il exige l'argent d'avance – sinon il la conserve au froid. »
Je sautai dans le trou et écrasai le mégot.
« Combien ?
– Je ne sais pas, deux, trois cents dollars. On a dû emprunter de l'argent pour qu'ils laissent sortir First Raise.
– Seigneur ! Tout ça pour un cercueil, tu veux dire ?
– Mais non – tu as entendu Teresa. Ils vont l'arranger, lui mettre du rouge à lèvres, du fard, une robe neuve peut-être. »
J'enfouis la cigarette sous la terre puis tassai tout autour.
Lame Bull remit sa chemise.
« C'est pas bon marché », dis-je.
Il la boutonna d'un air pensif.
« Ces boîtes de pompes funèbres, ils tiennent un boulot en or. »
Je le regardai s'éloigner en direction de la maison. Le pan de sa chemise lui couvrait les fesses. Avant d'arriver, il s'arrêta pour jeter un coup d'œil vers le corral, puis vers la cabane à outils. Ensuite, il se retourna et examina les bottes de foin dans le champ de luzerne. On aurait dit qu'il embrassait sa propriété du regard pour s'assurer qu'aujourd'hui comme demain en vaudraient la peine.
Je me hissai hors de la tombe.
Il allait recommencer à faire chaud, mais au sud-est quelques nuages blancs et cotonneux s'amassaient. Difficile de savoir s'ils viendraient ici. Ils passeraient plus probablement au-dessus des Petites Rocheuses. Il y avait peu de chances qu'il pleuve – nous étions à cette époque de l'année où tout stagne, où le matin succède au matin, aussi bleu que le précédent, où, jour après jour, le soleil

se lève, décrit sa courbe et se couche. Pas comme à l'automne, me disais-je, avec son gris qui n'en finit pas, son long crépuscule, son vent qui transperce les vêtements, la peau et la chair jusqu'aux os dans lesquels il se loge. Pas comme à l'automne, où le froid vous accompagne toute la journée et s'endort avec vous sans jamais vous quitter sinon pendant ces deux ou trois heures de la soirée quand le poêle à pétrole qui ronronne le chasse de vos os. Un maudit froid, un horrible froid. Et puis c'est l'hiver.

On n'aurait pas dû les faire galoper, pensai-je. Ce n'était pas bon pour elles...

36

Mais la nuit tombait et on devait encore leur faire traverser la route. Avec force jurons et coups de corde sur la croupe, nous les avions lancées au galop sur la pente de la colline. La vieille stérile aux yeux fous fonçait à toute allure, rasant le sol telle une antilope disgracieuse poursuivie par la meute des autres. Derrière venaient les taureaux dont les pattes courtes s'agitaient, presque floues dans le crépuscule, et dont la tête se balançait, comme pour accrocher le vent; puis les veaux qui ruaient, le blanc de leur museau, de leur encolure et de leur ventre prenant une teinte grisâtre dans la lumière qui s'amenuisait.

Une fois dans la vallée, elles ralentirent et se mirent au trot. Mose se précipita pour aller ouvrir les barrières.

Notre folle chevauchée m'avait fait oublier le froid, mais tandis que nous longions la vallée à une allure plus raisonnable en direction de la route, je sentis le vent s'engouffrer en sifflant dans mes vêtements. Sous mon Levi's élimé et mes caleçons longs, j'avais le haut des cuisses engourdi. Les larmes roulaient sur mes joues.

Mose contourna le troupeau et vint me rejoindre. Il s'essuya le nez dans la manche de son blouson.

« Bon, il faut continuer – par ce portail jusqu'à la route, et ensuite l'autre portail. D'accord ? » Il s'efforçait de paraître sûr de lui. « Il faut les faire avancer. Okay ?

– Okay. »

Mose avait quatorze ans.

Tout aurait dû se passer sans problèmes. Les vaches connaissaient la routine. Elles savaient qu'à l'arrivée du froid et du ciel gris, il était temps de rentrer. Après avoir brouté l'herbe sèche de la prairie, elles aspiraient au bon chaume de luzerne et de pâturin.

C'était le crépuscule, cette heure de la journée où la lumière vous joue des tours, où l'on s'imagine voir mieux qu'on ne voit en réalité, ou encore voir des choses qui n'existent pas. Cette heure de la journée où vos yeux, vos oreilles, votre nez s'égarent, où tout ne forme plus qu'un brouillard gris dans le cerveau, si bien que vous quittez votre corps et que vous regardez le film d'une scène que vous avez déjà vue. Alors, tandis que je galopais sur le flanc du troupeau, j'avais l'impression d'être ailleurs, pas très loin, tel un faucon qui décrit des cercles dans le ciel ou un insecte qui parcourt des galeries sous les sabots qui frappent le sol.

On les poussa par le portail, puis le long du talus. Criant et jurant, on pressa les traînards à coups de corde. Les vaches tournaient en rond et ruaient, et leurs sabots résonnaient sur le revêtement de la route. Mes yeux larmoyaient dans le vent gris, et bientôt Mose sembla se fendiller comme des cristaux, ni plus ni moins perceptible que l'odeur d'une bouse fraîche ou le crissement du cuir. Les vaches s'effrayaient du bruit de leurs propres sabots sur cet asphalte si peu familier. Les taureaux, tendus, se balançant sur place, hésitaient dans l'attente de savoir où le troupeau allait se diriger. Nous eûmes beau les frapper, ils refusaient de bouger.

Soudain, la vieille rouanne s'élança tête baissée en bas du talus. Les autres plongèrent à sa suite, et les taureaux, enfin, s'ébranlèrent pesamment.

Tout aurait dû se passer sans problèmes. Il nous suffisait de les amener de l'autre côté de la barrière, de refermer celle-ci, puis de les éloigner de la route. Ensuite, nous pourrions rentrer à la maison manger une bonne assiette de viande et de pommes de terre, boire du café brûlant et tout raconter à First Raise. Il nous écouterait, content que nous ayons fait notre boulot, et surpris que nous y soyons parvenus en une seule journée. Puis il nous dirait comment se montrer malin, comment il avait compté vingt dollars à l'homme blanc de Dodson pour faire démarrer sa lieuse: «Un dollar pour le coup de pied... » Le jour était maintenant presque tombé et ces images me paraissaient aussi réelles que le bétail agglutiné sur la pente.

Mais la vache aux yeux fous refusa de franchir le portail. Elle pila devant et courba la tête. Je ne distinguais que son dos, mais dans mon film, je la voyais, plantée sur ses pattes raidies et écartées, la tête inclinée, les épaules parcourues d'ondulations spasmodiques, comme si elle essayait de chasser un taon.

C'est à ce moment-là que je sentis Bird frissonner sous moi et rassembler son poids dans son arrière-main. Puis j'aperçus la petite silhouette d'un veau qui se détachait du troupeau. J'eus à peine le temps d'agripper le pommeau de la selle que Bird bondissait à sa poursuite le long de la clôture. On filait au galop sur le bas-côté de la route, le veau entre les barbelés et nous. Mose cria quelque chose, mais je n'arrivais pas à maîtriser le cheval emballé. D'une main, je poussais de toutes mes forces sur la selle, et de l'autre je tirais sur les rênes, si bien que, les jambes tendues, je me dressais sur les étriers qui se trouvaient presque à la hauteur de l'encolure de Bird. Incapable de le contraindre à lever la tête, je m'accrochais désespérément.

À travers un prisme de larmes, je vis le pinceau des phares, le gris du métal gémissant; dans un cri, un souffle d'air m'arracha mon chapeau, et me gifla le visage.

Non, je n'avais pas pu la voir – nous allions dans la direction opposée, et il y avait les larmes, le crépuscule et le vent dans mes yeux – et le film explosa dans mon cerveau en une grande lumière blanche ; la voiture effectua une vaine embardée comme ses stops s'allumaient, l'épaule du cheval heurta le pare-chocs, le cheval tournoya, sa croupe s'écrasa contre la portière, et la petite silhouette passa en vol plané au-dessus du toit de la voiture pour atterrir avec le choc sourd d'une poupée de chiffons.

Au bruit de la collision, le veau s'arrêta. Bird dégringola la pente et, désarçonné, je tombai au milieu des herbes envahies par l'obscurité. Je sentis mon genou heurter quelque chose de dur, une pierre peut-être, ou une conduite, puis plus rien qu'un engourdissement.

37

Le pick-up noir me dépassa dans un grondement. Teresa m'adressa un signe de la main, sans sourire. Je ne voyais pas Lame Bull, mais je savais que lui aussi devait être sérieux, lugubre même.

Venu de l'est, un léger souffle faisait frémir l'atmosphère ; pas assez fort pour agiter les feuilles des peupliers, il suffisait cependant à sécher la sueur qui ruisselait le long de mes flancs. S'élevant de la route, un petit nuage de poussière dérivait vers le cimetière. Là, se trouvait une tombe que je n'avais pas encore regardée. Elle était marquée d'une croix blanche à peine plus haute que les herbes qui poussaient autour, et délimitée par une bordure de bois brut. D'une couronne en mousse de polystyrène accrochée à la croix pendait un morceau de barbelé enveloppé dans du papier vert et, au-dessous, perdue au milieu des herbes, il y avait une fleur en papier toute flétrie. Mais pas de pierre tombale, pas de nom, pas de dates. Mon frère.

Je rangeai les outils. Une odeur de mort-aux-rats régnait dans l'appentis. Il sentait la mort-aux-rats depuis toujours.

Je rentrai dans la maison. La cafetière posée sur le coin de la cuisinière était encore chaude. Des effluves de parfum s'échappaient de la chambre de Teresa. J'allai fermer la porte, puis je me servis une tasse de café. Je pensai à Yellow Calf. La bouteille de vin que Lame Bull et moi avions entamée la veille était encore presque pleine. Je la glissai sous ma chemise et me dirigeai vers le corral.

Cette fois, Bird ne chercha pas à lutter. Il fit preuve de patience pendant que je le sellais et m'installais sur son dos. Le veau était collé contre la glissière. Derrière, j'apercevais sa mère au bord de la rivière. Elle regardait quelque chose sur l'autre berge.

Je longeai le cimetière. Les feuilles des peupliers commençaient à scintiller. À l'est, les nuages semblaient venir vers la vallée, mais ils se trouvaient encore trop loin pour juger avec certitude de leur direction. Un avion glissait dans le ciel. Je suivis des yeux le trait argenté jusqu'à ce qu'il n'étincelle plus dans le soleil et ne laisse derrière lui pour seule trace de son passage qu'un mince ruban qui allait en s'effilochant. Un lointain grondement nous parvint. Bird dressa les oreilles, mais continua à descendre au pas le chemin poussiéreux.

Tu vois, vieux cheval, je ne sais pas comment ils calculent, mais une de mes années correspond à quatre ou cinq des tiennes. Te voilà donc centenaire, encore plus vieux que la grand-mère, et non seulement tu vis, mais tu accomplis tes devoirs comme on te l'a appris, une bête de somme, même si tu n'es plus un cheval de troupeau.

Je nouai les rênes et les passai autour du pommeau. Quand je mis pied à terre, Bird frémit et frotta sa tête contre moi. Ses naseaux effleurèrent la bouteille sous ma chemise.

Et maintenant, vieille machine, je te décharge de ton fardeau. Tu crois que je ne l'ai pas remarqué. Tu ne le montres pas. Mais c'est à cause de ta tête. Elle a été façonnée à ta naissance et n'a guère changé en un siècle. Tes oreilles paraissent plus petites aujourd'hui, mais c'est parce que ta tête s'est un peu allongée. Tu t'imagines avoir bien dissimulé tes souffrances. Tu as raison. Cependant ne va pas croire que je ne l'ai pas vu dans tes yeux les jours où les nuages cachaient le soleil et où les vaches offraient leur cul au vent. Ces jours-là, tes yeux me disaient ce que tu ressentais. C'est la faute des hommes qui t'ont dressé pour devenir une machine, pour réagir à la pression d'une rêne sur ton encolure, à celle des éperons sur tes flancs, au son de la voix. Un cheval de troupeau. Tu n'es pas né comme ça : tu es né pour manger l'herbe des prés et boire l'eau de la rivière, pour mordiller d'autres chevaux comme tu le fais avec les taureaux à la traîne, pour monter les juments. Ainsi, ils t'ont coupé les couilles pour te rendre moins fantasque, encore qu'à mon avis ils aient échoué. Ils t'ont passé le licou, bandé les yeux ; ils ont agité des sacs de jute devant toi et t'ont fait tâter du cuir sur l'encolure et sur la croupe. Et enfin, ils t'ont sellé – tu n'as pas essayé de leur décocher une petite ruade quand ils ont glissé la sangle sous ton ventre ? – et un homme a grimpé sur ton dos pour la première fois. Il n'y a que toi qui puisses me dire ce qu'on éprouve à frissonner sous le poids de ce premier cavalier, hébété – c'est bien ça ? – en attendant que la panique et la rage gagnent tous tes muscles et que tu bondisses, te cabres, bottes et galopes autour du corral jusqu'à ce que cet homme ait creusé de son nez un sillon au milieu des couches molles de fumier. Comme tu as dû te sentir vaniteux et fier, mais l'homme – qui était-ce ? sûrement pas First Raise – est remonté sur ton dos et t'a labouré les flancs de ses éperons. Tu t'es de nouveau cabré et tu l'as désarçonné ; il s'est de nouveau épousseté et s'est remis en selle. Et puis encore et encore, jusqu'à ce que, perdu, à moitié fou de frustration, tu ne puisses plus que courir un peu, tournoyer, sautiller, jeter la tête d'un côté et de l'autre, avec cet homme accroché au pommeau de la selle. Mais tu n'en avais pas terminé. Il restait la dernière étape – laisse-le sortir, a dit quelqu'un, tu l'as entendu – et tu t'es précipité par le portail ouvert, le long de la route pleine d'ornières, l'encolure tendue comme si on brandissait une carotte devant toi, les éperons de l'homme plantés dans ta chair. Tu as galopé et galopé pendant ce qui t'a paru des kilomètres et des kilomètres, sans toujours suivre la route, mais tout droit, jusqu'à ce que tu croies que ton cœur en feu allait exploser. C'est ça, ce sentiment de mort proche, qui t'a obligé à ralentir et à marcher au trot, les jambes raides, un peu en biais, et puis au pas, et tu as fini par te retrouver au milieu d'un champ de queues-de-renard et de chiendent, soufflant, tentant désespérément de respirer l'air lourd d'un après-midi d'été. Même le bruit d'une grouse s'envolant d'un rosier sauvage n'aurait pu te contraindre à lever ta jeune tête épuisée.

Un cheval de troupeau.

Je bus une rasade de vin au goulot pour tenter de desserrer le nœud qui m'étreignait la gorge.

Tu es devenu vieux, Bird, si vieux que ce soleil consulte tes os pour établir les prévisions météorologiques. Tu n'es plus un cheval de troupeau. Non, ne t'imagine pas que c'était ta faute – quand ce veau s'est échappé, tu as réagi comme on t'avait appris à le faire. Je devrais te féliciter pour l'acuité de ton regard et ta promptitude. Moi, je ne l'avais même pas vu, et j'ai senti tes muscles se ramasser dans tes jambes arrière et la puissance...

Je me baissai pour ôter une bardane accrochée au bas de mon pantalon, et le flot de sang qui me monta à la tête m'étourdit.

Mais je t'ai observé quand le temps change, que le soleil est si haut qu'il ne réchauffe plus la terre mais reste suspendu là, pâle, au-dessus du vent glacial, et que les nuages filent, et que le crépuscule, le crépuscule, le crépuscule...

« À quoi bon », murmurai-je, criai-je à l'intention de personne au monde, pas même Bird, de personne sinon mon âme, comme si les mots pouvaient la débarrasser du fardeau ultime de la culpabilité; et je me retrouvai enfant, les années oubliées comme un serpent oublie derrière lui sa vieille peau, devant cet enchevêtrement de membres et de vêtements. « À quoi bon, à quoi bon, à quoi bon... », et personne ne répondit, ni le corps sur la route, ni le faucon dans le ciel, ni l'insecte sous la terre; personne. Et les larmes dans le soleil brûlant, dans le vin, le crépuscule, le vent cinglant du crépuscule, la neige fondue qui se mettait à tomber cependant que je m'agenouillais à côté du corps, le premier élancement qui traversait mon genou cassé, les gouttes glacées sur ma nuque, le sang qui coulait de son nez, de sa bouche, l'homme qui revenait en courant de sa voiture, son haleine tandis qu'il s'efforçait de m'arracher au cadavre brisé de mon frère.

QUATRIÈME PARTIE

38

« Bonjour, fit-il. Sois le bienvenu.

– Il y a des nuages à l'est », dis-je.

Je ne pouvais me résoudre à le regarder.

La brise avait forci et les peupliers au bord du canal d'irrigation agitaient leurs branches vers nous.

« Je vois que tu as mis des chaussures. Pourquoi ? »

Je désignai ses bottes de caoutchouc. Il avait rentré son pantalon dedans.

« C'est à cause des serpents à sonnette. Pour me protéger. À cette époque de l'année, ils ne te préviennent pas toujours.

– Ils ne t'entendent pas. Tu es tellement silencieux que tu leur arrives dessus par surprise.

– J'ai trouvé une dépouille ce matin à côté de ma porte. Je ne tiens pas à prendre de risques.

– Je croyais que les animaux étaient tes amis.

– Les serpents à sonnette, il vaut mieux les laisser seuls.

– Comme toi, dis-je.

– Possible. »

J'actionnai la pompe pour faire couler un peu d'eau dans la cuvette émaillée à l'intention de Bird, puis je desserrai sa sangle.

« J'ai apporté du vin. »

Je tirai la bouteille de sous ma chemise.

« Tu es bien gentil – mais ce n'était pas nécessaire.

– C'est du vin français, dis-je. Fait avec des roses.

– Ma soif n'est plus aussi grande qu'autrefois. Il y avait une époque... » Une rafale de vent ébouriffa ses fins cheveux blancs. « Goûtons-le. »

Je lui mis la bouteille dans la main. Il renversa la tête en arrière et, une main plaquée sur la poitrine, il but longuement. Sa pomme d'Adam montait et descendait, comme attachée au bout d'un élastique. « À toi, maintenant », dit-il quand il eut fini.

Yellow Calf s'accroupit sur le tapis blanc de la terre. Je m'assis au bord de la plate-forme sur laquelle se trouvait la pompe. Derrière moi, Bird aspirait l'eau fraîche avec bruit.

« Ma grand-mère est morte, dis-je. On l'enterre demain. »

Il passa ses doigts minces comme du papier sur le caoutchouc lisse de ses bottes. Puis il tourna la tête vers moi, peut-être parce qu'il avait entendu gronder l'estomac de Bird. Un petit nuage voila un instant le soleil. Yellow Calf resta silencieux.

« Elle s'est juste arrêtée. Ça a été une mort douce. »

Il changea de position et ses genoux craquèrent.

« On l'enterre demain. Peut-être avec le prêtre de Harlem. C'est un ami... »

Il n'écoutait pas. Ses yeux s'égaraient au-delà du canal d'irrigation, vers les collines et les nuages renflés qui les surplombaient.

C'est quelque chose dans les yeux de Yellow Calf qui m'avait empêché de le regarder. L'impression de violer une profonde intimité, comme celle que l'on ressent quand on tombe sur une vache en train de lécher son veau nouveau-né. Mais à présent, quelque chose d'autre, sa distance sans doute, me permettait d'étudier son visage, de voir pour la première fois les taches noires sur ses tempes et sur l'arête de son nez, les lobes de ses oreilles qui encadraient sa tête et les poils qui hérissaient sa mâchoire. Entre son nez bossu et son menton, des rides profondes, aussi nettes que les berges à pic des rivières qui passent au pied des collines de la prairie, se jetaient dans sa bouche. Ses lèvres entrouvertes révélaient un unique chicot, jauni et usé, pareil à celui d'un vieux cheval. Mais c'étaient ses yeux, étrécis sous la peau lâche des paupières, profondément enfoncés dans leur orbite, qui faisaient comprendre que la distance du vieillard était permanente. Et c'était derrière ces yeux blancs et embrumés qui n'émettaient aucune lumière qu'il vivait, dans un monde aussi perceptible que le bruissement des saules, le glapissement du renard ou l'odeur du musc durant la saison des amours.

Je me demandais pourquoi First Raise venait si souvent lui rendre visite. Avait-il trouvé un moyen de raccourcir cette distance? Je tentai de me remémorer ce jour de neige où il m'avait emmené avec lui. Je me rappelais Teresa et la grand-mère reprochant à First Raise de me faire sortir par un temps pareil; puis le trajet, à cheval derrière lui, et mes rires devant les flocons mouillés qui tombaient. Mais je ne me rappelais pas Yellow Calf, ni la conversation entre les deux hommes.

« Tu la connaissais ? »

Sans tourner la tête, il répondit :

« C'était une jeune femme; moi, j'étais à peine un adolescent.

– Donc, tu la connaissais.

– C'était la dernière épouse de Standing Bear. »

Alors que j'avançais la main vers la bouteille de vin, je suspendis mon geste.

« C'était un chef, un sage – rien à voir avec ces vendus qui dirigent l'Agence aujourd'hui.

– Comment tu as pu connaître Standing Bear? C'était un Blackfeet.

– Nous venons des montagnes, dit-il.

– Tu es un Blackfeet?

– Mon peuple mourait de faim cet hiver-là; on était tous affamés, mais eux, ils sont morts. Ce fut le plus cruel des hivers. Les miens sont morts, l'un après l'autre.»

Il remuait ces souvenirs sans émotion apparente.

«Mais je croyais que tu étais un Gros-Ventre. Que tu étais d'ici.

– Beaucoup sont morts de faim cet hiver-là. Nous ne pouvions pas emporter grand-chose – on fuyait les soldats – et nous avions donc très peu de provisions. Je me rappelle, le jour où nous avons pénétré dans cette vallée, une tempête de neige a éclaté. On a bien essayé de chasser, mais le gibier se terrait. Tout l'hiver, on a cherché des traces de cerfs. Je crois qu'on en a tué un seul. Il était même rare de tomber sur un porc-épic. Nous avons bien attrapé quelques lapins, mais pas assez...

– Tu as survécu, dis-je.

– Oui, j'étais vigoureux à l'époque.»

Sa voix s'élevait, calme et monotone.

«Et ma grand-mère? Comment elle a fait?»

Il pressa le bout de sa botte qui reprit sa forme aussitôt qu'il ôta son doigt.

«Elle nous a raconté que Standing Bear s'était fait tuer cet hiver-là, poursuivis-je.

– Il menait un raid contre les Gros-Ventres. Ils avaient de la viande. Moi, j'étais trop jeune. Je me souviens quand les hommes sont rentrés au camp – il faisait nuit mais on voyait les petits nuages blancs qui s'échappaient des naseaux de leurs chevaux. On les attendait tous, persuadés qu'ils rapporteraient de la viande. Mais à la place, c'est le corps de Standing Bear qu'ils ont rapporté. C'étaient des jours bien sombres.»

Je tapotai le genou de Yellow Calf avec la bouteille. Il but, puis s'essuya les lèvres sur la manche de sa chemise.

«C'est à ce moment-là que nous avons réalisé que notre

pouvoir tournait mal. Nous avions déjà traversé des hivers difficiles, ils l'étaient toujours, mais à la vue du cadavre de Standing Bear, nous avons compris que nous étions punis pour avoir quitté notre sol natal. Les nôtres ont alors décidé, soldats ou pas, de rentrer dès le printemps venu.

– Mais toi, tu es resté. Pourquoi ? »

Il dessina un arc de cercle d'un geste de la main, paume à plat, englobant le coude de la rivière qui passait derrière sa maison. Au pied des grands peupliers, morts pour la plupart, s'enchevêtraient broussailles et rosiers sauvages. Le terrain descendait en pente douce vers la berge.

« C'est ici qu'on a établi notre camp. Il n'y avait pas autant de végétation à l'époque. Juste les peupliers et puis les saules qui étaient alors touffus et nous fournissaient un abri. Pour tirer tous les avantages de cet emplacement, on s'est installés très près les uns des autres. L'hiver, parfois, quand le vent a balayé la neige et chassé les nuages, j'entends encore les murmures des nôtres dans les tipis. Oui, c'étaient des jours bien sombres.

– Et les membres de ta famille sont morts de faim...

– Mon père est mort d'autre chose, de maladie, une pneumonie peut-être. J'avais quatre sœurs. Elles ont succombé les premières. Ma mère a tenu encore un peu, mais pas longtemps. Beaucoup sont morts.

– Mais s'ils sont partis au printemps, pourquoi toi, tu es resté ?

– Mon peuple était ici.

– Et la vieille, ma grand-mère, est restée aussi.

– Oui. Être veuve, ça pose des problèmes, surtout quand le mari avait d'autres femmes. C'était la plus jeune. Elle passait pour jolie à l'époque.

– Mais pourquoi est-elle restée ? »

Il ne répondit pas tout de suite. Il entreprit de dessiner une étoile en grattant l'écorce durcie de la terre. Après, il traça un cercle autour, puis des traits autour du cercle, comme un soleil tel qu'un enfant le représente. Puis il l'effaça du bout de son bâton et offrit son visage au vent qui grossissait.

« Il faut que tu comprennes comment les gens réagissent aux heures désespérées. Quand ils ont le ventre plein, ils peuvent se permettre d'être joyeux et généreux les uns envers les autres – on partage la viande, les femmes travaillent et bavardent, les hommes jouent –, ce sont des jours heureux et on ne voit pas les choses clairement. Ce n'est pas la peine. Mais quand la marmite est vide et que tes tripes se tordent dans ton ventre, tu commences à regarder autour de toi. La faim aiguise la vue.

– Mais pourquoi elle ?

– Elle n'était avec nous que depuis un mois ou deux, trois peut-être. Imagine la situation. Les soldats sont venus, les nôtres ont dû quitter leur terre là-haut près des montagnes, et puis la famine, la mort de leur chef. Elle leur avait apporté le mauvais œil.

– Mais toi – tu ne peux pas croire ça.

– C'étaient les apparences, dit-il.

– De la simple malchance ; ils se sont mis en colère à cause de leur malchance, dis-je.

– Le mauvais sort. »

J'examinai ses yeux.

« Elle disait que c'était en raison de sa beauté.

– Il y avait de ça aussi, je pense. Quand Standing Bear vivait encore, ils ne pouvaient pas faire autrement que de l'accepter. En fait, ils étaient fiers d'avoir une beauté pareille – tu sais comment c'est, même si ce n'est pas à toi. »

Ses lèvres tremblèrent et esquissèrent ce qui aurait pu être un sourire.

« Mais après la mort de Standing Bear, sa beauté s'est retournée contre elle, dis-je.

– En effet, mais ce n'était pas tout. Quand tu meurs de faim, tu cherches des signes. Chaque événement prend des proportions considérables dans ton esprit. Sa mort a constitué à leurs yeux la preuve définitive qu'ils étaient maudits. L'homme-médecine, Fish, a interprété les signes. Ils ont regardé ta grand-mère et ils ont vu qu'elle avait amené le désespoir et la mort. Et sa beauté – c'était comme si sa beauté offensait leurs malheurs.

– Ils n'ont pas pu croire ça...

– Il ne s'agissait pas d'une question de croyance, c'était un fait, dit-il. Du jour où Standing Bear a été enterré, les femmes se sont éloignées d'elle. Même ses autres épouses ne lui ont plus adressé la parole. Il a fallu un peu plus longtemps aux hommes – les hommes ne sont pas aussi influençables. Ils la considéraient comme la veuve d'un chef et la traitaient avec respect. Mais bientôt, naturellement, ils ont remarqué la haine qui brillait dans les yeux de leurs femmes, la froideur avec laquelle on les accueillait s'ils apportaient à ta grand-mère une cuisse de lapin ou un morceau de bois le matin. Et, puisqu'ils commençaient à avoir honte d'être vus en compagnie de la jeune veuve, ils l'ont petit à petit abandonnée. »

Je contemplai la bouteille posée devant moi. Je m'efforçais de comprendre ce pouvoir qui ordonnait au peuple d'exclure une jeune femme et de la laisser se débrouiller seule au cœur d'un hiver cruel. Je m'efforçais de comprendre leurs pensées, la haine des femmes, la honte des hommes. La famine. Je n'avais pas connu la famine. Je ne parvenais pas à me représenter cette malédiction, sa beauté.

« Qu'est-ce qui lui est arrivé ?

– Elle a passé le reste de l'hiver seule.

– Comment a-t-elle pu survivre seule ? »

Il changea de position et planta son bâton dans la terre. Il avait l'air mal à l'aise. Peut-être se rappelait-il des choses qu'il aurait préféré oublier ou peut-être sentait-il qu'il avait été trop loin. Il paraissait avoir perdu de sa distance, cependant il répondit :

« Elle n'est pas vraiment partie. On était au plus fort de l'hiver. Quitter le camp, c'était aller vers une mort certaine, et il y avait des tipis à la lisière, vides – beaucoup étaient vides alors.

– Qu'est-ce qu'elle faisait pour se nourrir ?

– Qu'est-ce qu'on faisait tous ? On attendait le printemps. Le printemps est venu, et on a chassé – les cerfs étaient faibles, pas très difficiles à tuer.

– Mais elle, elle ne chassait pas. »

Il me semblait important de savoir comment elle avait pu se procurer à manger. Aucune femme, aucun homme n'aurait pu traverser seul et démuni un hiver pareil.

Pendant que je regardais Yellow Calf creuser le sol, je me remémorai la fin de l'histoire de la bande de Standing Bear telle que la vieille femme la racontait.

Une grande confusion avait régné ce printemps-là. Devait-on rester sur le territoire des Gros-Ventres, partir au sud vers le plus proche troupeau de bisons ou bien retourner au pays natal à l'ouest près des montagnes ? Les quelques anciens ayant survécu penchaient en faveur de cette dernière solution, car ils voulaient mourir dans un environnement familier, mais les jeunes étaient partagés entre demeurer sur place jusqu'à ce qu'ils aient repris des forces ou se diriger vers les prairies à bisons Ils rejetaient l'idée de rentrer à cause de la présence des soldats. Beaucoup avaient déjà rencontré les Longs Couteaux, et ils savaient que dans leur état, ils n'auraient pas la moindre chance contre eux. Une grande confusion régnait donc, à laquelle se mêlaient décisions et indécisions, et aussi hostilité.

Finalement, ce furent les soldats de Fort Assiniboine qui choisirent pour eux. Un jour, à la fin du printemps, ils arrivèrent à cheval, rassemblèrent les survivants et les conduisirent dans la nouvelle réserve Blackfeet créée à l'ouest. Ne tenant pas à emmener la jeune femme avec eux, il semble qu'ils ne signalèrent pas son existence aux soldats, et comme par ailleurs, dès la venue du printemps, elle avait quitté la bande pour vivre à l'écart, les soldats ne lui posèrent pas de questions. Ils la prirent pour une Gros-Ventre.

Un coup de vent agita les saules. Les nuages s'amoncelaient et formaient une masse blanche dans le ciel, mais tandis qu'ils dérivaient vers nous, ils se faisaient de plus en plus noirs.

La vieille femme avait achevé son récit sur l'image des nôtres poussés « comme du bétail » dans leur réserve. Il s'agissait pour elle d'un triomphe au goût amer, et je le comprenais très bien. Mais pourquoi n'avoir jamais parlé de Yellow Calf ? Pourquoi n'avoir jamais dit qu'il appartenait à cette bande de Blackfeet et que, comme elle, il était resté ?

Un tourbillon de poussière s'éleva, qui rasa l'écorce de la terre.

« Tu m'as dit que tu étais à peine un adolescent cet hiver-là – tu avais quel âge ? » demandai-je.

Il s'arrêta de creuser.

« Ce premier hiver, tous les miens sont morts. »

Mais je n'allais pas le laisser détourner la conversation.

« Quel âge ?

– Ça m'est sorti de l'esprit, répondit-il. Quand on est vieux et aveugle, on perd le fil des années.

– Tu dois bien avoir une idée.

– Quand on est vieux...

– Dix ans ? Douze ans ? Quinze ans ?

– ...et aveugle, on n'obéit plus au cycle des années. On sait que chaque saison est à sa place parce qu'on le sent, mais le temps devient une lente procession. Le temps se nourrit du temps et engraisse. » Un moustique vint s'abriter dans le creux de sa joue, mais il parut ne pas le remarquer si grande était la distance qu'il avait maintenant atteinte. « Pour un vieux chien comme moi, le cycle débute avec la naissance et se termine avec la mort. C'est le seul que je connaisse. »

Je repensai au calendrier aperçu dans sa cabane lors de ma visite précédente. Celui de l'année 1936. Il devait encore voir à cette époque. Cela faisait donc plus de trente ans qu'il était aveugle, mais s'il était aussi âgé que je le croyais, il avait eu le temps de vivre une existence entière avant. Une existence d'homme qui voit. Qui suit le calendrier, les années, les jours...

Je réfléchis un moment.

Bird lâcha un pet.

Alors la vérité m'apparut, comme apportée par les rafales de vent, comme si Bird l'avait tenue en lui depuis toujours et qu'il me l'eût délivrée dans ce souffle fétide.

« Dis-donc, vieil homme, fis-je. C'était donc toi – tu étais déjà assez vieux pour chasser ! »

Ses yeux blancs reflétaient les nuages et semblaient comme les pétrir.

Je me mis à rire, d'abord silencieusement, sans amertume et sans joie. C'était le rire de celui qui comprend soudain un épisode de sa vie, qui pénètre un secret par hasard. « Toi... c'est donc toi. » Je continuai à rire tandis que le mystère se dévoilait. « Toi... toi, son chasseur... » Et la vague derrière mes paupières se brisa.

Yellow Calf offrait toujours son visage au vent d'est, comme si celui-ci pouvait effacer ses rides. Mais les coins de ses yeux se plissèrent plus encore pendant qu'il ouvrait la bouche. À travers mes larmes, je voyais tressauter sa pomme d'Adam.

« Toi », repris-je dans un murmure. Et la tête du vieil homme s'affaissa entre ses genoux. Son dos trembla, ses épaules anguleuses se raidirent puis se voûtèrent comme les ailes repliées d'un faucon.

« Et Doagie, le sang-mêlé ! » Le rire, de nouveau, m'arracha la gorge. *Ce n'est pas lui le père de Teresa. C'est toi, Yellow Calf, toi, le chasseur!*

Au son de mon rire, il tourna la tête. Ses traits étaient déformés au point qu'il me semblait ne plus reconnaître que son chicot. Ses yeux se dissimulaient derrière les pommettes hautes. Sa bouche malléable se tordait en un ricanement de feu follet.

Ainsi nous partagions ce secret en présence de fantômes, dans le vent qui faisait surgir les tipis emplis de murmures, les tourbillons de neige, l'haleine blanche qui jaillissait des naseaux des chevaux. Derrière nous, les peupliers, leurs branches blanches et mortes dressées vers les nuages menaçants, protégeaient ces fantômes comme ils avaient protégé le camp cet hiver-là. Mais il y en avait d'autres, tant d'autres.

Yellow Calf se leva, devenu soudain réservé et cérémonieux. Je lui mis dans la main ce qui restait de la bouteille de vin.

« Merci, dit-il.

– Il faudra qu'un jour tu viennes me voir, dis-je.

– C'est gentil. »

Je resserrai la sangle de Bird.

« Je penserai à toi, dis-je.

– Tu ferais bien de te dépêcher, dit-il. Ça ne va pas tarder. »

J'empoignai les rênes et conduisis Bird vers le pont de bois pourri qui enjambait le canal d'irrigation.

Yellow Calf agita la main.

39

L'encolure tendue, Bird trottait le long de la clôture. Il était pressé de rentrer. Pressé de pisser un bon coup et de se rouler dans le fumier. En vieillissant, il avait perdu sa dignité et sa grâce. À chaque pas, je sentais le cuir de la selle frotter contre mes cuisses.

C'était l'heure idéale pour les odeurs. Celle de la luzerne, sucrée et poussiéreuse, me parvenait, portée par le vent et accompagnée de celle de la pluie. Le vieil homme devait humer l'atmosphère en pensant à bien d'autres choses, à l'époque où seul il était demeuré auprès de la jeune veuve abandonnée de tous. Une telle distance entre eux, et pourtant ils ne vivaient qu'à trois milles l'un de l'autre. Mais qu'est-ce qui avait pu créer cette distance? Et qu'est-ce qui me faisait croire qu'il était le père de Teresa? Après tout, vingt-cinq années séparaient le moment où il était devenu le chasseur de ma grand-mère et la naissance de Teresa. Ils auraient pu se quitter. Mais c'était lui. Je le savais. Je l'avais su d'instinct, assis là sur la plate-forme de la pompe à le regarder rire silencieusement, comme si c'était son sang coulant dans mes veines qui me l'avait dit.

J'essayai de les imaginer tous les deux, le chasseur et la veuve. Si je ne me trompais pas sur l'âge de Yellow Calf, la différence entre eux n'excédait pas quatre ou cinq ans. Elle avait à peine vingt ans, et lui sans doute quinze ou seize. Assez vieux pour chasser, mais pour le reste?

Aurait-il pu être déjà plus qu'un chasseur, ou bien cela était-il arrivé plus tard ? Il est probable qu'ils n'avaient jamais vécu ensemble (sauf peut-être par nécessité au cours de ce premier hiver). À ma connaissance, aucun bruit ne circulait à leur sujet. La femme m'ayant parlé de Doagie avait bien laissé entendre qu'il n'était pas le père de Teresa, mais sans faire mention de Yellow Calf.

Ainsi, des années durant, ces trois milles devaient avoir paru semblables à une promenade matinale le long de ce chemin que je parcourais à cheval. Il n'y avait alors ni clôture ni parfum de luzerne. Mais les peupliers et les saules, les espaces découverts de la vallée, les collines au sud, les Petites Rocheuses, tout se trouvait déjà là ; rien n'avait changé. Bird dressa la tête et hennit. Il avait adopté une allure qui aurait pu passer pour une danse sauvage du temps de sa jeunesse si ce n'étaient le bruit sourd de ses sabots et le frottement du cuir contre mes cuisses. Donc, pendant des années, le vieil homme avait accompli ce trajet ; mais vingt-cinq ans ? Vingt-cinq ans sans vivre ensemble, vingt-cinq ans d'une liaison si sage et si secrète qu'elle n'avait pas donné lieu à la moindre rumeur ?

Je pensai une nouvelle fois au jour où First Raise m'avait emmené rendre visite à Yellow Calf. Je m'imaginais sentir encore le contact du tissu froid de sa veste tandis que je me collais contre lui, entendre le martèlement régulier des sabots sur la surface gelée du chemin qui diminuait comme la couche de neige fraîche épaississait. Je me rappelais le sac de jute rempli de viande de cerf congelé suspendu au pommeau de la selle, et First Raise qui descendait ouvrir la barrière, puis qui pissait dans la neige en dessinant mon nom, disait-il. Mais je ne me rappelais pas être entré dans la cabane. Je ne me rappelais pas Yellow Calf.

Et pourtant je l'avais éprouvée cette impression de

vivre un événement. Peut-être était-ce à cause de la distance, ces trois milles nouveaux pour moi, que je ressentais, ou que j'avais ressenti quelque chose de cette autre distance, en tout cas, cette notion semblait à mes yeux aussi réelle que la toile glacée de la veste de First Raise contre ma joue. Il devait alors savoir ce que moi je venais de découvrir. Il était mort sans m'avoir jamais rien dit, mais par ce jour de neige, il m'avait emmené voir mon grand-père.

40

Un reflet lumineux accrocha mon regard. Une voiture tournait dans notre chemin, trop loin pour que je puisse l'identifier. On aurait dit un insecte noir qui rampait sur les bosses et les ornières. Arrivé au portail, je ne descendis pas de cheval. Bird gratta le sol et jeta un coup d'œil en direction du ranch. D'où nous nous tenions, on ne voyait que le bras de la rivière et le corral. Bird les examina. Les bâtiments, eux, étaient dissimulés derrière une côte.

Les nuages se trouvaient à présent au-dessus de nous, mais à l'ouest, le soleil brillait toujours avec autant d'éclat. Le vent avait faibli, réduit à une petite brise régulière. La pluie menaçait.

C'étaient Ferdinand Horn et sa femme. Quand la Hudson vert foncé parvint à l'endroit où le chemin surplombait les champs de luzerne, Ferdinand Horn klaxonna comme si j'avais eu l'intention de disparaître. Il agita la main par la vitre ouverte. « Salut, camarade ! » cria-t-il. Il coupa le moteur et la voiture effectua quelques mètres en roue libre avant de s'immobiliser. Il leva les yeux.

« On est juste venus présenter nos condoléances.

– Quoi ? »

La femme de Ferdinand Horn se pencha sur son siège et me regarda à travers le pare-brise. Elle affichait une expression peinée.

« Ah ! La grand-mère ! »

Étrange, j'avais oublié qu'elle était morte.

« C'était une femme bien », dit Ferdinand Horn en contemplant le champ de luzerne.

« Teresa et Lame Bull sont partis la chercher à Harlem. Ils ne rentreront sans doute pas avant la nuit.

– On les a croisés. On en revient. » Il semblait mesurer le champ. « Une femme charmante. »

Son épouse me dévisageait derrière ses lunettes à monture turquoise. Elle avait incliné la tête pour mieux me voir et sa position devait être plutôt inconfortable.

« On l'enterre demain, dis-je.

– Ouais, je sais.

– Quelque chose de tout simple. Si vous voulez, vous pouvez peut-être venir. »

J'ignorais comment Teresa allait se comporter pendant l'enterrement.

« Oui, c'est une idée. » Il se tourna vers sa femme. Elle hocha la tête, le regard toujours fixé sur le pare-brise. « Bon sang ! J'en oublie les bonnes manières ! »

Il fouilla dans un sac en papier posé entre eux, perça deux trous dans le fond d'une boîte de bière pourtant munie d'une languette d'ouverture sur le dessus, et me la tendit.

Je bus une gorgée, puis une autre et encore une autre. Le vin m'avait laissé la bouche sèche ; la bière était bonne et plus fraîche que je ne l'aurais pensé.

« Bon dieu, haletai-je. Ça fait du bien.

– Je ne sais pas ce que j'ai en ce moment. À propos, qu'est-ce que tu fabriques sur cette vieille carne ?

– Je me baladais. J'ai été rendre une petite visite à Yellow Calf.

– C'est vrai ? Je croyais qu'il était mort. » Il contempla de nouveau le champ de luzerne. « Alors, comment va-t-il ?

– Ça a l'air d'aller, il se débrouille, répondis-je.

– Tu sais, mon cousin Louie lui apportait des provisions quand il travaillait pour les services d'irrigation. Il venait régler cette vanne à côté de chez Yellow Calf, et il lui apportait à manger. Mais c'était il y a dix ans – bon dieu, non, plutôt vingt ! »

Je n'avais pas réfléchi à cet aspect du problème. Comment se nourrissait-il à présent ?

« Peut-être que le nouveau responsable aussi lui apporte à manger.

– Il est un peu cinglé, tu sais.

– Le nouveau responsable ?

– Yellow Calf. »

La femme de Ferdinand Horn rajusta ses lunettes et plissa le nez. Elle tenait une boîte de soda sur les genoux, autour de laquelle elle avait enroulé un mouchoir bleu clair afin de protéger sa main du froid ou des dégoulinades.

« Tu as un mauvais coin là-bas. »

Ferdinand Horn désignait une parcelle du champ couverte d'herbes des marais et de queues-de-renard.

« Tu l'as trouvée ? »

La voix étouffée ramena mon attention vers la voiture.

« On l'enterre demain, dis-je.

– Non, non ! » cria-t-elle d'une voix perçante en frappant son mari sur la poitrine. « Ta femme ! » Elle ne me quittait pas des yeux. « Ta femme ! »

Je ressentis comme un coup de poignard dans le cœur.

« Je... je l'ai vue... à Havre.

– Alors ?

– Chez Gable. »

Elle se pencha de nouveau en avant, puis vers son mari. Sa lèvre supérieure se retroussa sur ses petites dents brunâtres.

« Elle était avec cet homme blanc ?

– Non, cette fois, elle était seule.

– Tu parles...

– Combien de balles tu tires de ce champ ?

– Tu parles qu'elle était seule. Comme si une fille comme elle pouvait être seule. »

À travers la mince glace du pare-brise, elle ressemblait à un rat musqué.

« On est juste venus présenter nos condoléances.

– N'essaye pas de changer de sujet », dit-elle en donnant une tape sur le bras de Ferdinand Horn. « Tu l'as ramenée ?

– Oui, répondis-je. Elle est à la maison. Vous voulez la voir ?

– Tu l'as vraiment ramenée ? »

Elle paraissait déçue.

« Vous voulez la voir ?

– Tu as récupéré ton fusil ? » demanda Ferdinand Horn en se tournant vers moi.

« Oui. Vous voulez la voir ?

– Oui, bien sûr, une petite minute », dit-il.

Sa femme se laissa retomber contre le dossier du siège. Elle portait la même robe imprimée froissée que la dernière fois. Ses cuisses étaient écartées sous les papillons multicolores. Je ne distinguais plus son visage.

« On est déjà en retard, dit-elle.

– Rien qu'une petite minute, répéta Ferdinand Horn.

– On est juste venus présenter nos condoléances. »

Ferdinand Horn eut l'air perplexe. Il regarda sa femme. Elle resserra les cuisses. Il leva les yeux vers moi. Puis il mit la voiture en marche.

« Combien de balles tu tires de ce champ ? » demanda-t-il.

41

Tandis que Bird et moi contournions le bras de la rivière, j'entendis le veau beugler. Il attendait qu'on le nourrisse. Nous longeâmes le cimetière où la terre fraîchement retournée prenait une teinte brûlée sous les amoncellements de nuages. Bird bondit droit vers le corral, les oreilles pointées en avant, les jambes raides. Je sentais toute la tension qui habitait son corps. Je croyais que c'était à cause de l'orage qui menaçait d'éclater d'un instant à l'autre, mais alors que nous approchions, il s'arrêta net et regarda en direction du marécage. La mère du veau était allongée sur le flanc, la moitié du corps enlisé. Son bon œil était cerclé de blanc et sa langue pendait au coin de sa bouche. Lorsqu'elle nous vit, elle fit un effort pour se libérer, comme si nous venions l'encourager. Son dos s'arqua et ses épaules frémirent cependant qu'elle tentait de se dégager de l'étau qui l'emprisonnait. Sa queue fouetta l'air et un filet de bouse coula le long de sa croupe.

Bird hennit, puis baissa l'encolure pour que je descende et aille ouvrir le portail. Le spectacle ne l'intéressait déjà plus.

Moi aussi, j'aurais voulu l'ignorer. M'éloigner et la laisser se noyer dans sa propre bêtise avec pour seuls témoins les nuages et la pluie qui arrivait. Si je partais, me disais-je, si je partais maintenant – mes mains tremblèrent mais ne se décidèrent pas à agir. Elle avait mérité son sort par sa stupidité, et personne ne viendrait à son secours. D'ailleurs, qui le voudrait ? Elle me regardait, et je percevais sous sa panique une haine, une haine démentielle qui me fit prendre conscience de celle que moi-même je ressentais au fond de mon cœur. Le bout de ses cornes paraissait couvert de sang, le sang noir du drame. Elle courba la tête, et la boue glissa le long de ses oreilles tandis que le souffle qui sortait de ses naseaux formait de petites mares. Je l'avais déjà vue cette image de catastrophe, cet œil haineux, ces cornes incurvées, celles de la vieille stérile aux yeux fous qui conduisait le troupeau vers la vallée. Imbécile, idiote de vache, détestable et stupide. Elle mugit un long appel entrecoupé de bruits de bulles. Je continuai à la regarder et, comme si toute énergie, ou même toute vie, la désertait, elle fit rouler sa tête sur la côté, à demi noyée, l'œil affolé fixé sur les nuages.

Idiote, idiote...

Je sautai à terre, me précipitai ouvrir le portail du corral, et courus vers l'écurie. Les couches molles de fumier amortissaient les secousses infligées à ma mauvaise jambe. Je m'emparai d'une corde accrochée à un clou planté dans une poutre, et m'empressai de ressortir. Bird venait juste d'entrer d'un pas tranquille. Je le tirai plus que je ne le menai vers le bord du marécage. Il semblait offensé que j'ose lui demander son concours pour une tâche pareille. Il tenta de tourner la tête vers le pré derrière le corral. L'alezan nous observait par-dessus la barrière. Je n'avais plus le temps d'aller le chercher. Déjà, la vache gisait sur le flanc.

J'attachai le bout de la corde au pommeau de la selle pour empêcher Bird de s'éloigner, puis j'agrandis le nœud coulant afin de pouvoir le passer autour de la tête de la vache. Mais elle se refusait à la lever. Je criai et lui lançai des poignées de boue. Peine perdue. Mon cuir chevelu commençait à transpirer. Un courant d'air froid ébouriffa mes cheveux tandis que je faisais tournoyer le lasso au-dessus de moi. Je visai sa corne, mais elle était pointée vers l'avant, et le nœud dérapa. J'essayai à plusieurs reprises, mais le lasso n'accrochait pas. À chaque fois, j'espérais que le choc de la corde atterrissant sur son cou pousserait la rouanne à dresser la tête, mais elle demeurait immobile. Elle doit être morte, pensai-je. De petites bulles continuaient cependant à mousser autour de ses naseaux. Alors, j'entrai à mon tour dans la vase, jusqu'aux genoux, et m'avançai vers la vache. À chaque pas, la boue se refermait sur une de mes jambes pendant que je dégageais l'autre. Les yeux rivés sur les bulles, je priais pour qu'elles disparaissent et que je puisse faire demi-tour, mais l'écume s'étalait et remuait comme si elle était elle-même vivante. Le bourbier atteignait maintenant le haut de mes cuisses, et je ne parvenais plus à lever les jambes, seulement à les glisser au milieu de cette masse gluante. Les quelques centimètres d'eau stagnante envoyaient à travers mon corps l'odeur de choses mortes. C'était trop tard, ça prenait trop de temps – en me penchant, je pouvais presque toucher sa corne. Encore un pas. Les bulles ne bouillonnaient plus. J'empoignai la corne et me hissai vers la vache. Elle s'efforça de bouger la tête, mais la boue la ramena en arrière. Sur ce fond vert et noir, sa bouche béante qui s'emplissait de vase paraissait aussi rose qu'une souris nouveau-née. Son œil de travers, strié du rouge de la panique, cherchait à se fixer sur moi.

M'aidant de la corne, je parvins à lui soulever suffisamment la tête pour passer la boucle au dessous, d'autant que la boue jouait maintenant en ma faveur. Je serrai, puis appelai Bird en tirant sur la corde. Le vieux cheval secoua les épaules et recula. Il se cabra un peu, comme si la résistance du lasso lui rappelait ses années de cheval de troupeau. Mais sous le poids de la vache et de la boue, la selle se mit à tourner. Elle ne tiendrait pas. J'agrippai la corde, m'extirpai de la vase et, centimètre par centimètre, entrepris de regagner le bord. Mon genou me gênait. Je ne pouvais plus le plier. Je voulus fléchir les orteils pour empêcher ma chaussure d'être arrachée, mais ils ne répondirent pas. La jambe entière était morte. Les muscles de mes bras se nouaient, néanmoins je parvins à me hisser jusqu'à la rive. Je restai étendu là un moment, à bout de forces, puis je tentai de me relever. Mes bras refusèrent d'obéir. C'était comme dans un rêve. Je n'arrivais pas à les bouger. Ils reposaient le long de mon corps, tout flasques, comme s'ils appartenaient à quelqu'un d'autre. Je pliai mon bon genou sous moi en me servant de mes épaules et de mon menton pour garder l'équilibre.

J'appelai de nouveau Bird. Rien à faire, il ne voulait pas renoncer à sa tâche. Je l'injuriai, le cajolai, le raisonnai, mais je devais lui paraître grotesque ainsi le cul en l'air et la sueur qui dégoulinait de mon crâne.

Maudit sois-tu, Bird, maudit sois-tu. Et maudit sois-tu, Ferdinand Horn, pourquoi tu n'es pas venu, ensemble on aurait pu tirer cette saloperie de vache de là. Et puis pourquoi ne l'avais-je pas abandonnée à son sort ? Maudite soit ta femme et ses lunettes turquoise ridicules, son soda ridicule, et ta bagnole ridicule. Et Lame Bull ! C'était sa vache, il avait épousé cette vache, alors pourquoi il n'était pas là ? À se balader à cheval, à jouer son rôle de propriétaire, cette espèce d'escroc, de trafiquant, impossible de compter sur lui, ni sur aucun de ces foutus crétins, de ces foutus crétins d'Indiens. Lâche cette corde abruti ! Lâche-la ! Tu veux t'étrangler ? Eh bien, vas-y ; je n'en ai rien à foutre de cette vache. Qu'est-ce que j'ai fait pour mériter ça ? Maudit soit ce Ferdinand Horn ! Ah, Teresa, quelle erreur tu as commise ! Ton mari, tes amis, ton fils, tous des bons à rien, des tas de merde! Lâche ça, fumier! Ta mère est morte, et ton père – tu ne sais même pas, qu'est-ce que tu dis de ça? Une plaisanterie, tu ne comprends donc pas? Lame Bull! La plus énorme des plaisanteries – tu ne vois pas que c'est une plaisanterie, un rigolo qui se paye ta tête? On s'est moqué de toi! Comme les autres, comme ce pays, on se moque de nous tous. Lâche, lâche ça! Ce pays stupide et rapace...

Des picotements parcouraient mes bras. Je voulus bouger les doigts. Ils bougèrent. Mon cou me faisait mal, mais je récupérais mes forces. Je m'accroupis et passai quelques minutes à établir des plans pour ma nouvelle vie. Je finis par réussir à me relever et à me tenir sur ma bonne jambe. Puis je fis passer mon poids sur l'autre. Tous les os semblaient soudés, mais je ne ressentis aucune douleur. Je me dirigeai vers Bird en boitillant. Il dressa la tête et la secoua violemment. Je lui touchai l'épaule; il se cabra.

«Arrête, vieux con, dis-je. Tu fais l'inverse de ce qu'il faut faire!»

Il parut hocher la tête pour manifester son assentiment. Je frappai la corde du tranchant de la main à deux reprises. Bird comprit enfin, et il cessa de tirer, effectuant un petit pas de danse. Les muscles de ses épaules frissonnèrent sous son doux poil gris. Je me tournai vers la vache. Elle se tenait dans la boue, sa tête, à moitié noire, tendue comme celle d'un serpent d'eau en train de nager. Je fis claquer la corde; elle ne réagit pas. Ses yeux devenaient vitreux. Le nœud coulant lui enserrait toujours le cou.

En me remettant en selle, je remarquai pour la première fois qu'il pleuvait. Ce que j'avais imaginé être la sueur qui ruisselait sur mon crâne n'était en réalité que la pluie. Je fis de nouveau claquer la corde dont l'ondulation se propagea vers la vache. Cette fois, le nœud se desserra.

Elle sembla surprise. Un cri, pareil à l'aboiement d'un chien, jaillit de sa gorge. Comme s'il s'agissait d'un signal destiné à déclencher un ultime combat, elle entra enfin en action, arqua l'échine et, mugissant, tenta de s'arracher à la boue. Bird tendit la corde en reculant. La selle tourna ; je le fis pivoter pour le placer dos au marécage.

La pluie tombait plus dru ; les grosses gouttes me cinglaient la nuque et s'écrasaient dans la poussière. Une pie, légère et silencieuse, passa au-dessus de nous et alla se poser sur un poteau de la barrière à côté de la glissière. Elle hérissa ses plumes brillantes puis s'installa pour regarder.

La corde se mit à vibrer dans le vent qui forcissait, et la rouanne commença à s'extirper de la vase en agitant ses pattes de devant. Bird faillit tomber, mais grâce à quelques étranges pas de danse qui le firent osciller d'un côté puis de l'autre, il parvint à rétablir son équilibre et continua à haler la vache. Je fis une nouvelle boucle autour du pommeau, puis tirai sur le bout de la corde dont je frappai l'épaule de Bird. Quelque part dans mon esprit, j'entendais le sourd grondement du tonnerre, à moins que ce ne fût un grognement d'effort, ou un bruit d'estomac – peu importait. Il n'y avait que moi, un cheval blanc et une vache. La pression de la corde contre ma cuisse me paraissait bonne. Installé sur une moitié de selle, je me dressai sur l'étrier droit pour examiner les torons de chanvre qui frottaient contre la jambe de mon pantalon. La vache avait cessé de se débattre et se laissait maintenant traîner dans la boue visqueuse. Sa tête se levait sous la pluie et ses yeux avaient perdu cette lueur affolée. Elle semblait comprendre la nécessité de ce désagrément passager.

Tout se passait bien, et de manière si naturelle, que je n'avais pas remarqué que Bird glissait de nouveau sur la terre devenue grasse. Il se tourna légèrement pour prendre un meilleur appui. Sa croupe s'abaissa, son encolure se tendit et sa tête s'affaissa, si bien qu'il se retrouva presque à ras du sol. Je me penchai en avant jusqu'à respirer l'odeur douce et chaude de sa crinière mouillée. Puis je sentis ses sabots qui labouraient furieusement la terre, et je compris qu'il était sur le point de tomber. Avant que je n'aie eu le temps de réagir, il tournoya, ses jambes de devant battirent l'air, et celles de derrière cédèrent sous lui. Seul le poids de la vache à l'extrémité du lasso l'empêcha de basculer et de rouler sur moi. Sa large croupe blanche heurta le sol avec un choc sourd, puis il vacilla un instant, s'effondra, et ce fut le silence.

42

Un éclair illumina le ciel au sud. Je ne pouvais ou ne voulais pas tourner la tête. Mon dos se raidissait de plus en plus. J'ignorais si c'était à cause de la chute ou de l'humidité, en tout cas, j'éprouvais une sensation de malaise. Cette raideur me fournissait un prétexte pour ne pas bouger. Je vis l'éclair du coin de l'œil, comme s'il se réfléchissait à l'infini dans les innombrables gouttes de pluie qui ruisselaient sur mon visage.

Je me demandais si Mose et First Raise se sentaient bien. C'étaient les seuls que j'avais réellement aimés, les seuls avec qui il faisait bon se trouver. Au moins, la pluie ne les dérangerait pas. Peut-être même l'auraient-ils appréciée ; ils étaient comme ça, d'une compagnie agréable même par une journée pluvieuse.

Par deux fois, j'entendis Bird gémir tandis qu'il essayait de se relever, mais je n'avais pas la force de le regarder. La pie semblait s'être rapprochée, car ses *awk! awk!* métalliques prenaient des accents de conversation. La vache avait cessé de gargouiller. Son veau l'appela, une sorte de doux ronronnement qui s'acheva sur une note aiguë empreinte de perplexité. Puis ce fut de nouveau le silence.

Certains, pensai-je, ne sauront jamais combien il est bon d'être là, à distance, sous une pluie qui lave, la pluie battante d'un orage d'été. Ce n'est pas ce qu'on pourrait croire, pas du tout.

ÉPILOGUE

On enterra la vieille le lendemain. Naturellement, le prêtre de Harlem n'avait pas pu venir. Nous étions donc tous les quatre – Teresa, Lame Bull, moi et ma grand-mère. Je ne leur avais pas parlé de Ferdinand Horn et de sa femme, mais de toute façon, ils ne se montrèrent pas. Je devais admettre que Lame Bull avait fière allure. Les boutons de son costume vert brillant semblaient en bois. Même si l'entrejambe pendait un peu, le pantalon était coupé à la dernière mode. Teresa l'avait raccourci le matin, mais, pressée par le temps, elle s'était contentée de rentrer les jambes à l'intérieur. Ses bottes fantaisie à hauts talons apparaissaient sous les revers épinglés à la hâte. Sa chemise, sa cravate, son foulard et sa ceinture affichaient divers tons de vert et de rouge pour s'accorder avec le costume. Il fleurait bon l'huile capillaire et la lotion après-rasage. Je me sentais minable à côté de lui. Je portais un costume qui avait appartenu à mon père. Une heure avant l'enterrement, j'ignorais encore son existence. Il était en laine, couleur crème et rayé de fils marrons. Le col et les poignets me grattaient dans la chaleur de midi, mais les jambes du pantalon étaient assez larges pour qu'en restant immobile, je ne les touche pas, sauf de mon genou à présent enflé. Il ne me faisait toujours pas mal. La cravate, que j'avais desserrée, venait aussi de mon père. Elle était en soie, ornée d'un dessin qui représentait deux canards sauvages survolant un bouquet de roseaux.

Quant à Teresa, elle portait une veste noire, des hauts talons noirs et un petit chapeau noir. Une voilette, également noire, lui dissimulait les yeux et lui tombait juste au-dessous du nez. Ses lèvres sévères étaient peintes en rouge vif. Elle paraissait de nouveau grande et belle – à l'exception de ses jambes qui me semblaient un peu maigres, mais c'était peut-être à cause de la jupe. Je n'avais pas l'habitude de voir ses jambes.

La vieille, elle, était habillée d'un cercueil orange constellé de petites taches noires incrustées sur la surface. Comme il avait été fermé à Harlem, nous n'avons jamais su à quel travail de maquillage s'était livré l'entrepreneur de pompes funèbres.

Le trou se révéla trop court, ce dont on ne s'aperçut qu'au moment où le cercueil était déjà à moitié en place. Une extrémité passa, mais l'autre resta coincée contre la paroi. Teresa, persuadée que c'était la tête qui se trouvait plus basse que les pieds, voulait qu'on le ressorte. Lame Bull descendit dans la tombe et sauta à plusieurs reprises sur la partie demeurée bloquée. Le cercueil s'abaissa un peu, en tout cas assez pour prendre un aspect décent. Teresa ne dit plus rien, aussi Lame Bull bondit hors du trou, peut-être avec un peu trop de vivacité. Il s'épongea le front à l'aide de son foulard vert pâle.

« Bon », fit-il.

D'un ton interrogatif. Il me regarda et je tournai la tête en direction du marécage ; mes doigts jouaient avec la blague à tabac.

Teresa se mit à gémir. Elle vacillait, comme atteinte d'un coup de chaleur.

« Qu'est-ce que tu en dis, vieux ? »

Il faisait lourd après la pluie d'hier. Ce serait sans doute bon pour la pêche.

« Je suppose qu'en tant que chef de famille, c'est à moi

de dire quelques mots à l'intention de notre parente bien-aimée et amie. »

Teresa continua à gémir.

Lame Bull joignit les mains.

« Bon, répéta-t-il. Ci-gît une femme simple... qui a consacré sa vie à... se balancer... et à ne dire du mal de personne... »

Je pris appui sur ma mauvaise jambe. J'eus l'impression de me tenir sur une souche d'arbre.

« Pas la meilleure mère du monde... »

Teresa gémit plus fort.

« ... mais une bonne mère malgré tout... »

Il faudrait que j'aille à l'Agence voir le médecin. Je savais qu'il essayerait de m'envoyer me faire opérer à Great Falls. Mais je n'irais pas. Et je le lui dirais. Sinon, j'en aurais pour un an à rester couché. Et pendant ce temps-là, la fille qui m'avait volé mon fusil et mon rasoir électrique m'oublierait.

Teresa tomba à genoux.

« ... qui savait encaisser et aussi gueuler... »

La prochaine fois, je m'y prendrais mieux. Je lui payerais quelques crèmes de menthe et peut-être que je lui demanderais carrément de m'épouser.

« ... qui n'a jamais raconté de conneries à personne... »

L'alezan hennit dans le corral. Le vieux Bird devait lui manquer.

Je jetai la blague à tabac dans la tombe.

« TERRE INDIENNE »
Collection dirigée par Francis Geffard

MARY CROW DOG
Lakota woman
Ma vie de femme Sioux

FLORENCE CURTIS GRAYBILL ET VICTOR BŒSEN
L'Amérique indienne de Edward S. Curtis

R.M. UTLEY /W.E. WASHBURN
Guerres indiennes
Du Mayflower à Wounded Knee

JAMES WELCH
L'Hiver dans le sang
Roman

Cet ouvrage composé
par l'Atelier du livre à Reims
a été imprimé et broché sur presse CAMERON
dans les ateliers de la S.E.P.C. à Saint-Amand-Montrond (Cher)
pour les Éditions Albin Michel

Achevé d'imprimer en mars 1992
N° d'édition : 12238. N° d'impression : 595
Dépôt légal : avril 1992